DARREN SHAN
L'ASSISTANT DU VAMPIRE

1. LA MORSURE DE L'ARAIGNÉE

Traduit de l'anglais par Aude Lemoine

hachette

Une première édition française de ce roman a paru chez Pocket Jeunesse en 2001 sous le titre : *La parade des monstres*.

L'édition originale de cet ouvrage a paru sous le titre :
CIRQUE DU FREAK

Hachette Livre, 43 quai de Grenelle, 75015 Paris.

AVANT-PROPOS

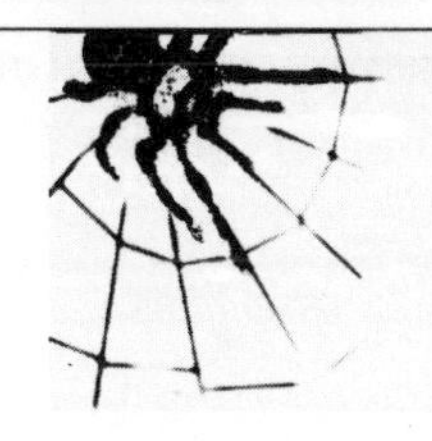

J'ai toujours été fasciné par les araignées. Petit, j'en faisais la collection. Je passais des heures à fouiller dans notre vieil abri de jardin tout poussiéreux à la recherche du moindre prédateur à huit pattes. Quand j'en trouvais un, je l'emportais dans ma chambre où je le laissais se balader.

Ça rendait ma mère dingue !

En général, l'araignée disparaissait comme par enchantement au bout d'un jour ou deux et je ne la revoyais plus jamais. Parfois, elle restait un peu plus longtemps. Une fois, l'une d'elles a tissé sa toile au-dessus de mon lit et elle a monté la garde à cet endroit pendant presque un mois. Avant de dormir, j'imaginais que l'araignée se glissait jusqu'à moi, s'enfonçait dans ma gorge jusqu'à mon ventre où elle pondait plein d'œufs. Après un moment, les œufs éclosaient et les bébés araignées me dévoraient tout cru, de l'intérieur.

J'adorais me faire peur quand j'étais gosse.

Pour mes neuf ans, mon père et ma mère m'ont offert une petite tarentule. Elle n'était ni venimeuse ni très grande, mais c'était quand même le plus chouette cadeau que j'aie jamais reçu. Je jouais avec à longueur de journée. Avec moi, elle était pourrie gâtée : des mouches aux cafards en passant par les vers.

Un jour, cependant, j'ai fait un truc débile. Je venais de regarder un dessin animé dans lequel un des personnages était avalé par un aspirateur. Il s'en est sorti sans souci, crasseux, poussiéreux et super furieux au moment de s'extirper du sac. C'était vachement drôle.

Si drôle qu'il a fallu que j'essaie moi aussi. Sur la tarentule.

Inutile de dire que les choses ne se sont pas exactement passées comme dans le dessin animé. L'araignée a été déchiquetée. Mes yeux pour pleurer, pleurer tant que j'ai pu, c'est tout ce qu'il m'est resté. Mon araignée était morte par ma faute et je ne pouvais plus rien y faire.

Le toit a failli s'écrouler sous les cris de mes parents lorsqu'ils ont appris ce que j'avais fait : la tarentule leur avait coûté cher. Ils m'ont accusé d'être irresponsable et, après ce jour, ne m'ont plus jamais laissé avoir un animal, même pas une simple épeire diadème[1].

J'ai choisi de commencer par raconter ces souvenirs pour deux raisons. La première s'éclairera d'elle-même au fur et à mesure que cette histoire progresse. L'autre, c'est parce qu'il s'agit d'une histoire vraie. Tous les événements de cet ouvrage se sont produits exactement comme je les décris ici.

Le truc, dans la vraie vie, c'est que lorsqu'on fait une bêtise, on doit payer les pots cassés. Dans les livres, les héros peuvent faire autant d'erreurs qu'ils veulent. Peu importe ce qu'ils font, ils s'en sortent toujours à la fin. Ils l'emportent contre les méchants et tout le monde est content.

---

1. Araignée commune qui se nourrit des moucherons qu'elle capture dans sa toile. Également appelée araignée des jardins.

Dans la réalité, les aspirateurs tuent les araignées. Si vous traversez la rue sans regarder, vous vous faites écrabouiller par une voiture. Si vous tombez d'un arbre, vous vous cassez des os.

La vraie vie ne fait pas de cadeau. Elle est cruelle. Elle se moque des héros, des *happy end*, du cours que devraient prendre les événements. Elle est le théâtre d'accidents. Des gens meurent. D'autres perdent leur bataille. Le Mal triomphe contre le Bien.

Je voulais juste que ce soit clair avant de continuer.

Ah, une chose encore : Darren Shan n'est pas mon vrai nom. Tout dans ce livre est vrai, sauf les noms. Il a fallu que je les change parce que... eh bien, quand vous serez arrivés à la fin, vous comprendrez.

Je n'ai gardé aucun nom : ni le mien, ni celui de ma sœur, de mes amis, de mes professeurs. Aucun. Je ne vous révélerai même pas de quelle ville ni de quel pays je viens. Ce serait trop risqué.

Bref, j'en ai dit assez. Si vous êtes prêt, autant commencer. À supposer que cette histoire ait été inventée, elle débuterait par une nuit d'orage, avec des hululements de chouette et d'étranges grincements de plancher. Mais il s'agit d'une histoire vraie et je dois donc démarrer mon récit là où tout a réellement commencé : aux toilettes.

1

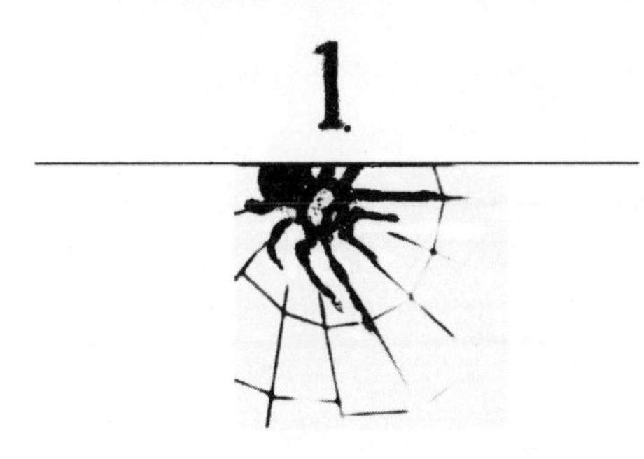

Assis sur la cuvette des toilettes, à l'école, je fredonnais une chanson. J'avais commencé à me sentir mal vers la fin du cours d'anglais. Mon prof, Mr Dalton, est trop fort : il sait toujours quand on est vraiment malade et quand on fait semblant. Il lui a donc suffi d'un regard, alors que je levais la main, pour me donner la permission d'aller aux toilettes avec un hochement de tête.

— Débarrasse-toi de ce qui te gêne, Darren, a-t-il lancé. Et ramène tes fesses ici dès que tu auras fini.

Si seulement tous les profs étaient aussi compréhensifs que Mr Dalton.

Pour finir, je n'ai pas vomi. Mais comme j'avais encore mal au cœur, je suis resté sur la cuvette. J'ai entendu la cloche sonner la fin des cours et tous les élèves se précipiter dehors pour aller déjeuner. J'avais drôlement envie d'y aller à mon tour, sauf que je savais que Mr Dalton se fâcherait s'il me voyait sur la pelouse si tôt. Si jamais il sent qu'on l'a roulé, il est du style à ne plus vous adresser la parole pendant un moment au lieu de vous hurler dessus. Ce qui, à mon avis, est pire.

J'attendais donc aux toilettes, fredonnant toujours, les yeux sur ma montre lorsque j'ai entendu quelqu'un m'appeler.

— Darren ! Hé, Darren ! T'es tombé dedans ou quoi ?

La question m'a fait sourire. Elle était signée Steve Leopard, alias mon meilleur ami. Le vrai nom de famille de Steve était Leonard, mais tout le monde l'appelait Steve Leopard et pas uniquement parce que ça se prononce presque pareil. Steve avait la réputation d'être un « enfant sauvage », comme disait ma mère. Partout où il passait, il foutait le bazar, cherchait la bagarre ; il fauchait aussi dans les magasins. Un jour, alors qu'il se promenait encore en poussette, il a trouvé un bâton pointu et décidé de piquer les passantes avec (il ne faut pas être un génie pour deviner où !).

Partout où il mettait les pieds, il était craint et méprisé de tous. Sauf moi. J'étais son meilleur copain depuis la maternelle, année au cours de laquelle on s'était rencontrés. Ma mère prétendait que c'était son côté sauvage qui m'avait attiré. Moi, je trouvais simplement ça chouette de traîner avec Steve. Il avait un tempérament de feu et piquait des crises terribles lorsqu'il pétait les plombs. Dans ces cas-là, je prenais simplement la tangente, ne revenant qu'une fois qu'il était calmé.

Avec les années, la réputation de Steve s'était tassée. Sa mère l'avait emmené voir un paquet de psys qui lui avaient appris à se contrôler. Pour autant, Steve, dans son genre, restait une légende dans la cour d'école et mieux valait ne pas s'en faire un ennemi, même si on était plus costaud ou plus grand que lui.

— Hé, Steve ! Je suis là.

J'ai donné un coup de pied dans la porte.

— T'as gerbé ?

— Non.

— Tu *vas* gerber ?

— Ça se pourrait.

Je me suis soudain penché en avant et j'ai simulé un bruit de vomi. Burp ! Mais Steve Leopard me connaissait trop bien pour marcher.

— T'as qu'à cirer mes pompes tant que tu y es, m'a-t-il fait marcher avant d'éclater de rire tandis que je crachais pour de faux sur ses chaussures et les astiquais avec un morceau de papier toilette.

— J'ai raté quelque chose en cours ?

— Nan. Toujours les mêmes conneries.

— T'as fait ton devoir d'histoire ?

— C'est à rendre pour demain, non ?

Il a paru s'inquiéter tout à coup. Steve avait le don pour oublier ses devoirs.

— Après-demain, ai-je corrigé.

— Ah, s'est-il détendu. Ouf ! Je croyais...

Il s'est interrompu, les sourcils froncés.

— Attends un peu... Aujourd'hui, on est jeudi. Donc, après-demain, c'est...

— Je t'ai eu ! me suis-je écrié en le frappant d'un coup de poing à l'épaule.

— Ahou ! a-t-il hurlé. Tu m'as fait mal. (Il s'est frotté le bras même si c'était clairement du cinéma.) Tu viens ?

— Je pensais rester encore un peu. Admirer la vue... ai-je répliqué alors que je me rasseyais au fond des toilettes.

— Déconne pas ! On était menés cinq contre un quand je suis parti, a-t-il expliqué. Tu peux être sûr qu'ils ont encore marqué un ou deux buts depuis. Faut que tu viennes.

Il voulait parler du football. Tous les midis, on faisait un match. En temps normal, mon équipe gagnait mais dernièrement, on avait perdu bon nombre de nos meilleurs joueurs. Dave Morgan s'était cassé la jambe. Sam White avait changé d'école parce que sa famille avait déménagé. Quant à Danny Curtain, il avait arrêté de jouer pour passer tous ses midis avec Sheila Leigh, sa copine. Quel bouffon, ce mec !

Je suis le meilleur attaquant de l'équipe. Nos défenseurs et nos milieux de terrain sont meilleurs que moi, et Tommy Jones est le gardien numéro un de l'école, mais je suis le seul qui arrive à marquer quatre ou cinq buts par jour sans jamais rater.

— D'accord. (Je me suis levé.) Je vais vous tirer de là. J'ai marqué trois fois de suite tous les jours, cette semaine, alors ce serait dommage de s'arrêter maintenant.

On est passés à côté des plus grands, occupés à fumer près des lavabos, comme d'habitude, et on s'est magnés de rejoindre mon casier pour que j'enfile mes crampons. Avant, j'en avais une paire super, gagnée grâce à un concours d'expression écrite. Mais les lacets avaient pété quelques mois plus tôt et le caoutchouc, sur le côté, commençait à se décoller. En plus, mes pieds avaient grandi ! Ma nouvelle paire ne faisait pas le poids, à côté.

Quand je suis arrivé sur le terrain, on était menés huit à trois. Ce n'était pas un vrai terrain de foot, juste une longue pelouse avec des poteaux de buts peints de chaque côté. Le peintre en question était vraiment un pauvre type : il avait mis la barre transversale trop haut d'un côté et trop bas de l'autre.

— N'ayez plus peur ! Super Shan va faire un malheur ! ai-je crié en courant sur le terrain.

De nombreux joueurs ont rigolé ou grogné. Par contre,

j'ai remarqué que mes coéquipiers reprenaient du poil de la bête et nos adversaires ont semblé inquiets, tout à coup.

J'ai démarré en beauté : deux buts en une minute. On devait pouvoir égaliser, voire gagner, mais il ne nous restait pas beaucoup de temps. Si seulement j'étais arrivé plus tôt... La sonnerie a retenti alors que je finissais juste de m'échauffer et on a perdu neuf à sept.

Au moment où l'on quittait le terrain, Alan nous a rejoints en petites foulées, hors d'haleine et le visage tout rouge. Alan Morris est un de mes meilleurs copains, avec Steve Leopard et Tommy Jones.

— Regardez ce que j'ai trouvé ! a-t-il annoncé en agitant un morceau de papier détrempé sous notre nez.

— Qu'est-ce que c'est ? a voulu savoir Tommy qui tentait de l'attraper.

— C'est...

Alan, interrompu par Mr Dalton, n'a pas pu terminer.

— Et alors, vous quatre ! Dépêchez-vous de rentrer ! a rugi ce dernier.

— On arrive, Mr Dalton ! a répondu Steve sur le même ton.

Steve est le chouchou du prof. Du coup, il peut se permettre vachement plus de trucs que nous. Comme écrire des gros mots dans ses dissert' par exemple. Moi, si j'en avais écrit le quart, il y a longtemps qu'on m'aurait foutu dehors.

Mais Mr Dalton avait un faible pour Steve du fait qu'il est à part. Parfois, il est super fort en cours : il a bon partout. D'autres fois, il n'arrive même pas à écrire son nom correctement. D'après Mr Dalton, Steve est un savant idiot. Ou un génie stupide si vous préférez !

Quoi qu'il en soit, Steve a beau être le préféré, ce n'est pas pour ça qu'il peut arriver en retard en classe. La trouvaille d'Alan attendrait. Traînant les pieds, on est rentrés, trempés de sueur et fatigués par le match.

Aussitôt, le cours a commencé. Si j'avais su, à ce moment-là, que le mystérieux morceau de papier d'Alan allait bouleverser ma vie à jamais...

2

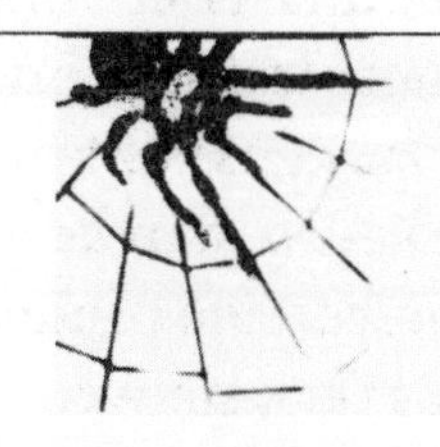

Après manger, on avait à nouveau cours avec Mr Dalton. Cours d'histoire. Au programme, la Seconde Guerre mondiale. C'était loin de me passionner, mais Steve, lui, trouvait ça génial. Il adorait toutes les histoires de meurtres et de guerre. Il disait souvent qu'il voulait devenir mercenaire – le genre de soldat qui se bat pour de l'argent – quand il serait grand. Et il parlait sérieusement !

Après histoire, on a eu maths avec – incroyable mais vrai – Mr Dalton pour la troisième fois de la journée. Notre prof de maths était malade et ses collègues le remplaçaient du mieux qu'ils pouvaient.

Steve était ravi : son prof préféré, trois cours d'affilée ! Étant donné que c'était la première fois que Mr Dalton nous donnait un cours de maths, Steve a commencé à frimer, lui expliquant où nous en étions dans le manuel, décortiquant les problèmes les plus difficiles comme si le prof était un gosse. Ça n'avait pas l'air de déranger ce dernier : il savait parfaitement comment gérer Steve.

En règle générale, même si Mr Dalton est assez sévère, on s'amuse toujours pendant ses cours mais on ne ressort jamais sans avoir appris quelque chose. En maths, toutefois, il était complètement dépassé. Alors, pendant que, le nez plongé dans le bouquin, il essayait de capter quelque chose au problème et que Steve, à ses côtés, lui suggérait deux ou trois choses « utiles », le reste de la classe s'est mis à faire des messes basses et circuler des mots dans des boulettes de papier.

J'en ai envoyé une à Alan pour lui demander de me montrer le mystérieux morceau de papier qu'il avait apporté. Il a d'abord refusé, mais j'ai insisté en lui renvoyant des boulettes et il a fini par accepter. Tommy, assis deux sièges plus loin que lui, a eu le papier en premier. Il l'a déplié. Au fur et à mesure qu'il lisait, j'ai vu son visage s'éclairer. Quand il a fini par me le passer, j'ai compris pourquoi.

Il s'agissait d'un prospectus, une sorte de publicité pour un cirque ambulant. En haut de la feuille, le dessin d'une tête de loup, la gueule ouverte et de la salive le long des crocs. Au bas de la page, une araignée et un serpent à l'air tout aussi méchant.

Sous le dessin du loup, en grandes majuscules rouges, on pouvait lire :

CIRQUE DU FREAK[1]

Puis, en plus petit :

PENDANT UNE SEMAINE SEULEMENT :
LE CIRQUE DU FREAK VOUS ATTEND !!
VENEZ VOIR :
SIVE ET SEERSA, LES JUMEAUX CONTORSIONNISTES
LE GARÇON-SERPENT, L'HOMME-LOUP, GERTHA LES TENAILLES

1. Un « freak » en anglais est un personnage qui peut être marginal (ou marginalisé par autrui), anormal ou encore excentrique.

LARTEN CREPSLEY ET MADAME OCTA,
SON ARAIGNÉE SAVANTE
ALEXANDER ÉLASTIQUE
LA FEMME À BARBE
HANS Ô-LES-MAINS
RHAMUS ODEUVENTRE :
L'HOMME LE PLUS GROS DU MONDE

En dessous figurait une adresse où se procurer des billets et connaître le lieu des représentations. Enfin, tout en bas, sous le serpent et l'araignée, était écrit :

ÂMES SENSIBLES ET PERSONNES CARDIAQUES, S'ABSTENIR.
ENTRÉE SOUMISE À CONDITIONS

— Le Cirque du Freak ? ai-je marmonné pour moi.

J'ai relu le prospectus, fasciné par les dessins et les descriptions des numéros des artistes au point d'en oublier Mr Dalton. Jusqu'à ce que je m'aperçoive que la classe était devenue silencieuse. En levant la tête, j'ai vu Steve, seul, au tableau. Il m'a tiré la langue puis m'a fait un grand sourire. Sentant les poils de ma nuque se hérisser, j'ai jeté un œil par-dessus mon épaule et découvert que le prof, debout derrière moi, lisait le prospectus, les lèvres pincées.

— Qu'est-ce que c'est que ça ? a-t-il demandé d'un ton sec en m'arrachant le papier des mains.

— Une publicité, Monsieur.

— D'où est-ce que ça vient ?

Il avait l'air drôlement furieux. En fait, je ne l'avais jamais vu si énervé.

— D'où est-ce que ça vient ? a-t-il répété.

Je me suis léché les lèvres de nervosité, ne sachant pas quoi répondre. Je ne voulais pas dénoncer Alan et je savais qu'il n'avouerait pas non plus – ses meilleurs amis savent qu'Alan est loin d'être courageux – mais mon cerveau fonctionnait au ralenti, incapable de fournir un mensonge valable. Heureusement pour moi, Steve est finalement intervenu.

— C'est à moi, Mr Dalton.

— À toi ?

Le prof a lentement cligné des yeux.

— Je l'ai trouvé près de l'arrêt de bus, m'sieur. Un vieux l'a jeté. Ça m'intriguait, alors je l'ai ramassé en me disant que je vous le montrerais après la classe.

— Ah. (Mr Dalton s'est efforcé de ne pas paraître flatté, mais je n'étais pas dupe.) Ça change tout. Il n'y a aucun mal à faire preuve de curiosité. Retourne à ta place, Steve.

Ce dernier est allé s'asseoir pendant que le prof affichait le prospectus au tableau.

— Il y a longtemps, a-t-il commencé en donnant une tape sur le papier, il existait de véritables exhibitions de monstres. Des charlatans avides d'argent entassaient des gens malformés dans des cages et...

— Monsieur, ça veut dire quoi « malformés » ?

— C'est quelqu'un qui n'est pas comme tout le monde. Un homme à trois jambes ou avec deux nez par exemple. Un cul-de-jatte. Quelqu'un de très petit ou de très grand. Les charlatans exhibaient ces pauvres gens qui n'étaient pas différents de vous et moi, hormis leur apparence. Ils faisaient payer les spectateurs, les incitant à rigoler ou à se moquer. Ils traitaient les prétendus monstres comme de vulgaires bêtes, les payaient une croûte de pain, les battaient, les habillaient en haillons, les empêchaient de se laver.

— Mais c'est horrible ! s'est révoltée Delaina Price, une fille assise au premier rang.

— Absolument, a acquiescé Mr Dalton. Il fallait être bien cruel, un vrai monstre soi-même, pour organiser de telles attractions. C'est pour cette raison que je me suis énervé en voyant ce prospectus. (Il l'a arraché.) On a interdit ce genre de spectacles il y a des années, même si, de temps à autre, la rumeur court qu'ils existent toujours et ont beaucoup de succès.

— Vous croyez que le Cirque du Freak est un véritable spectacle de monstres ? l'ai-je interrogé.

Mr Dalton a étudié le papier à nouveau avant de secouer la tête.

— J'en doute. D'après moi, il s'agit d'une farce de très mauvais goût. Ceci dit, à supposer que ce soit vrai, j'espère bien qu'aucun d'entre vous n'aurait l'intention de s'y rendre.

— Ça non, alors, avons-nous assuré, tous en chœur.

— Je préfère ça, parce que ce genre d'attractions est une abomination. Les organisateurs se faisaient passer pour des forains ordinaires tandis qu'en réalité, c'était des individus diaboliques. Quant aux spectateurs, ils étaient aussi coupables que les organisateurs.

— Faut vraiment être malade pour avoir envie d'aller voir un truc pareil, a sorti Steve.

Puis, il m'a regardé et, après un clin d'œil, a articulé en silence :

— On y va !

3.

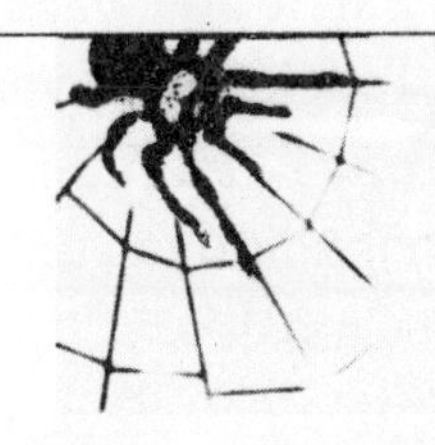

Steve persuada Mr Dalton de le laisser garder le prospectus. Il a raconté qu'il voulait le mettre au mur dans sa chambre. Le prof a failli refuser mais il s'est ravisé. Après avoir coupé la partie avec l'adresse, il a rendu le papier à mon copain.

À la sortie des cours, on s'est retrouvés tous les quatre – Steve, Alan Morris, Tommy Jones et moi.

— C'est pipeau, ton truc, ai-je lâché.

— Pourquoi tu dis ça ? a fait Alan.

— Les spectacles de monstres ont été interdits. Ça n'existe plus. Tu n'as pas écouté Mr Dalton ?

— Moi, j'y crois, a insisté Alan.

— Où est-ce que tu l'as trouvé ? a voulu savoir Tommy.

— Je l'ai piqué, a répondu Alan du bout des lèvres. À mon grand frère.

Tony Morris. Jusqu'à ce qu'il se fasse expulser, il était connu pour être la plus grosse brute de toute l'école. C'était un géant, aussi mauvais que moche.

— Tu l'as piqué à *Tony* ? ai-je répété d'une voix haletante. T'as envie de mourir ?

— Il ne saura pas que c'est moi. Il l'avait laissé dans un pantalon que ma mère a mis dans la machine à laver. Je l'ai remplacé par un morceau de papier quand je l'ai pris. Il croira que l'encre est partie au lavage.

— Finement joué, l'a félicité Steve.

— Où est-ce que Tony l'a eu ? ai-je demandé.

— Un type les distribuait dans une allée. Un des artistes du cirque, un certain Crepsley.

— Celui avec l'araignée ? a relevé Tommy.

— Oui, mais il n'avait pas l'araignée sur lui. Il faisait nuit. Tony rentrait d'un bar.

Le frère d'Alan n'a pas l'âge de boire de l'alcool dans les lieux publics mais vu qu'il traîne avec des mecs plus âgés, ce sont eux qui commandent pour lui.

— Mr Crepsley a tendu le papier à Tony et il lui a expliqué qu'il faisait partie d'un cirque ambulant qui donne des représentations secrètes dans les villages et les villes du monde entier. Il lui a dit qu'il fallait avoir ce papier pour pouvoir acheter des billets et qu'il ne les distribuait qu'aux gens de confiance. On n'est pas censés parler du cirque quand on reçoit le prospectus, mais étant donné que Tony était d'excellente humeur – comme à chaque fois qu'il boit – il n'a pas pu tenir sa langue.

— Combien coûtent les billets ? a fait Steve.

— Vingt-trois dollars chacun, lui a répondu Alan.

— Vingt-trois dollars ! nous sommes-nous écriés.

— Qui va payer vingt-trois dollars pour aller voir un tas de détraqués ? a raillé Steve.

— Moi, suis-je intervenu.

— Moi aussi, a avoué Tommy.

— Et moi, s'y est mis Alan à son tour.

— OK, mais aucun de nous n'a vingt-trois dollars sous la main, donc, CQFD, a conclu Steve.

— Ça veut dire quoi CQFD ? l'a interrogé Alan.

— Ce Qu'il Fallait Démontrer : on n'a pas le fric donc on n'achète pas de billet. Logique !

— J'aimerais quand même bien y aller. Ça a l'air super, a sorti Tommy, presque triste.

Il a réexaminé le prospectus.

— Tu as entendu Mr Dalton, a rappelé Alan.

— C'est bien pour ça que j'aimerais y aller, a commenté Tommy. Si Dalton dit que c'est nul, ça doit être super. Les trucs que les adultes détestent sont toujours géniaux.

— On est sûrs de ne pas avoir assez ? Ils font peut-être des réductions pour les enfants, ai-je suggéré.

— Je ne pense pas que les enfants soient admis. J'ai huit dollars cinquante, a répondu Alan, malgré tout.

— Moi, j'ai dix-huit dollars tout rond, a annoncé Steve.

— Dix dollars quarante, a compté Tommy.

— Douze dollars et trente cents. En tout, ça fait plus de quarante-neuf dollars, ai-je calculé de tête. Demain, on aura notre argent de poche, alors si on met en commun…

— Il paraît qu'il n'y a presque plus de billets, m'a interrompu Alan. La première représentation a eu lieu hier soir. La dernière, c'est mardi. Si on y va, il faudrait que ce soit demain soir ou samedi parce que nos parents ne nous donneront pas l'autorisation de sortir un autre jour. Le type qui a donné la pub à Tony a dit que les spectacles de ces deux soirées étaient presque complets. Si on veut y aller, il faut vraiment acheter nos billets maintenant.

— Oublie ! Tant pis, me suis-je raisonné.

— Attends un peu… Ma mère garde du fric dans un bocal à la maison. Je pourrais en prendre un peu et le remettre une fois qu'on aura reçu notre argent de poche, a proposé Steve.

— Tu veux dire le voler ? ai-je rectifié.

— Je veux dire *emprunter*. Voler, c'est quand on ne ramène pas ce qu'on a pris. Qu'est-ce que vous en dites ?

— Comment est-ce qu'on va acheter les billets ? a voulu savoir Tommy. Ya école demain. Impossible de sortir.

— Je peux faire le mur. Je veux bien les acheter, a offert Steve.

— Mais Mr Dalton a coupé l'adresse, lui ai-je rappelé. Tu ne sais même pas où aller.

— Je m'en souviens. (Steve a souri à pleines dents.) Alors, est-ce qu'on va rester plantés là ou bien on va y aller à ce truc ?

On a échangé des regards et, l'un après l'autre, on a hoché la tête en silence.

— Très bien, a conclu Steve. On file chercher notre fric chez nous et on se retrouve ici. Vous n'avez qu'à raconter à vos parents que vous avez oublié un bouquin. On va tout mettre ensemble et je compléterai avec ce qu'il y a dans le bocal chez moi.

— Et si tu n'arrives pas à voler, je veux dire *emprunter* le reste ? ai-je imaginé.

Mon copain a haussé les épaules.

— À moins d'essayer, on ne saura jamais. Allez, grouillez-vous !

Sur ces mots, il est parti en courant. Un instant plus tard, Tommy, Alan et moi, enfin décidés, l'avons imité.

4.

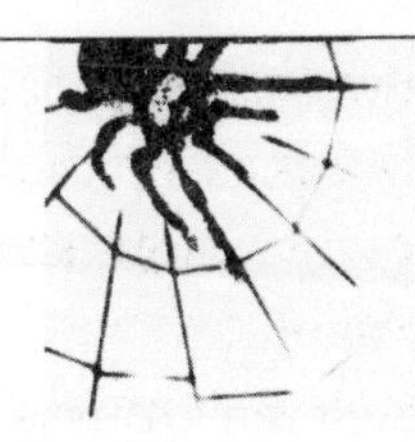

Impossible de penser à autre chose cette nuit-là. J'ai bien essayé en regardant mes émissions préférées à la télé, mais c'était peine perdue. Tout ça était tellement bizarre : un garçon-serpent, un homme-loup, une araignée savante. C'est surtout cette dernière qui m'intriguait.

Papa et Maman n'ont rien remarqué de spécial. Annie, si. C'est ma petite sœur. Elle peut être énervante, mais la plupart du temps, elle est vraiment chouette. Elle n'est pas du genre à cafter et en plus, elle sait garder un secret.

— Qu'est-ce que tu as ? m'a-t-elle demandé après le dîner alors qu'on faisait la vaisselle.

— Mais rien.

— Bien sûr que si. Je t'ai vu : depuis le début de la soirée, tu es bizarre.

Je savais qu'elle continuerait à poser des questions jusqu'à ce que je lui dise la vérité. Je lui ai donc tout raconté à propos du Cirque du Freak.

— Ça a l'air super, mais je te parie que tu ne pourras pas y aller.

— Pourquoi ça ?

— Ça m'étonnerait qu'ils laissent les enfants rentrer. On dirait plutôt un spectacle pour adultes.

— C'est sûr qu'ils n'accepteraient probablement pas une

morveuse comme toi, mais mes potes et moi, c'est une autre histoire.

Ça l'a vexée.

— Pardon, je ne le pensais pas. Je suis juste furax parce que tu as certainement raison. Annie, je ferais n'importe quoi pour pouvoir y aller !

— Je peux te prêter ma trousse de maquillage. Tu n'as qu'à te dessiner des rides pour avoir l'air plus vieux.

J'ai souri et l'ai prise dans mes bras, ce qui m'arrive rarement.

— Merci, sœurette, mais ça ira. Si on arrive à entrer, tant mieux. Sinon, tant pis.

On n'a plus beaucoup parlé après ça. La vaisselle essuyée, on est retournés en vitesse devant la télé. Papa est rentré à la maison quelques minutes plus tard. Il travaille sur des chantiers de construction dans toute la région, alors il rentre souvent tard le soir. Il est parfois de mauvaise humeur, mais pas cette fois-là. En arrivant, il a fait tourner Annie dans ses bras, puis il a embrassé Maman.

— Quoi d'neuf ? nous a-t-il lancé.

— J'ai marqué trois fois d'affilée, ce midi, ai-je rapporté.

— Ah oui ? Bravo !

On a baissé le volume de la télévision pendant que Papa dînait. Il aime bien manger dans le calme et nous poser des questions sur notre journée ou nous raconter la sienne.

Ensuite, Maman est allée dans sa chambre travailler sur son album de timbres. Elle fait la collection. Elle en a plein. Moi aussi, avant, je faisais la collection, jusqu'à ce que ça ne m'amuse plus.

Je suis passé voir si elle avait de nouveaux timbres avec des animaux exotiques ou des araignées, mais elle n'en avait pas. J'en ai profité pour lui poser des questions sur les spectacles de monstres.

— Maman, est-ce que tu es déjà allée voir une attraction avec des monstres ?

— Pardon ? a-t-elle lâché, concentrée sur ses timbres.

— Une attraction avec des monstres. Tu sais, avec des femmes qui ont de la barbe, des hommes-loups et des garçons-serpents.

Elle a levé les yeux sur moi, les paupières battantes.

— Un garçon-serpent ? Mais qu'est-ce que c'est que ça ?

— C'est un...

Je me suis soudain rendu compte que je n'en savais rien.

— Peu importe. Tu y es déjà allée ?

Elle a secoué la tête.

— Non, c'est illégal.

— Imaginons que ce ne soit pas illégal et qu'il y ait une représentation en ville. Tu irais ?

— Certainement pas, a-t-elle décliné dans un frisson. J'en ferais des cauchemars. En plus, je trouverais cela injuste vis-à-vis des personnes qu'on exhibe de cette façon.

— Qu'est-ce que tu veux dire ?

— Comment tu réagirais, *toi*, si on t'enfermait dans une cage pour t'exposer aux regards des gens ?

— Je ne suis pas un monstre, moi !

— Ça, je le sais bien. (Elle m'a embrassé sur le front.) Tu es mon trésor.

— Argh, Maman, arrête !

De la main, je me suis essuyé le front.

— Mon grand nigaud à moi ! (Elle a souri.) Imaginons que tu aies deux têtes ou quatre bras et qu'on t'exhibe comme dans un zoo pour se moquer de toi. Je doute que tu apprécierais.

— C'est clair, ai-je reconnu en traînant les pieds.

— Mais pourquoi tu me demandes tout ça ? s'est étonnée Maman. Tu as encore veillé tard pour regarder des films d'horreur à la télé ?

— Pas du tout.

— Je te rappelle que ton père n'aime pas que tu re...

— Je t'ai dit non !

Ça m'exaspère, quand les parents n'écoutent pas ce qu'on dit.

— Très bien, monsieur Ronchon. Pas la peine de crier. Si je t'ennuie, tu n'as qu'à aller aider ton père à désherber le jardin.

Je serais bien resté mais Maman était visiblement fâchée, et je suis donc descendu dans la cuisine. Au même moment, Papa est entré par la porte de derrière.

— Alors, on se cache ? (Il a eu un petit rire.) On est trop occupé pour donner un coup de main à son vieux père ?

— J'allais justement venir t'aider.

— Trop tard, a-t-il commenté en enlevant ses bottes. J'ai terminé.

Je l'ai observé tandis qu'il enfilait ses chaussons. Il a des pieds immenses : il chausse du quarante-cinq ! Autrefois, il me baladait avec lui dans la maison, mes pieds sur les siens. C'était comme d'avoir des grands skateboards.

— Qu'est-ce que tu vas faire maintenant ? l'ai-je interrogé.

— Écrire.

Mon père a des correspondants dans le monde entier : en Amérique, en Australie, en Russie et en Chine. Il prétend que c'est pour rester en contact avec ses voisins planétaires, mais moi je pense que c'est juste une excuse pour aller piquer un roupillon dans son bureau.

Annie jouait à la poupée. Je lui ai demandé si elle voulait venir faire une partie de tennis dans ma chambre, avec une chaussette en guise de balle et des chaussures à la place des raquettes, mais elle était trop occupée à préparer ses poupées en vue d'un soi-disant pique-nique.

Finalement, je suis allé dans ma chambre chercher mes BD. J'en ai quelques-unes vraiment cool : *Superman*, *Batman*, *Spiderman* et *Spawn*, ma préférée. C'est l'histoire d'un super héros qui, autrefois, était un démon en Enfer. Certaines des histoires fichent vraiment la trouille. C'est ça qui me plaît.

J'ai passé le reste de la soirée à lire mes BD et à les classer. Avant, on se les prêtait, avec Tommy. Il en a un paquet. Seulement, il renversait tout le temps des boissons sur la couverture et laissait des miettes entre les pages, alors j'ai arrêté.

En général, je vais au lit à dix heures. Cette nuit-là, pourtant, Maman et Papa ont oublié l'extinction des feux et j'ai veillé jusqu'à presque dix heures et demie. Quand mon père, voyant de la lumière sous ma porte, est entré dans ma chambre, il a fait semblant d'être furieux, mais j'ai su aussitôt que ce n'était pas vrai. Ce n'est pas son style de s'énerver parce que je reste debout tard. C'est plutôt Maman qui me bassine sans arrêt avec ça.

— Dodo ! Ou bien je n'arriverai jamais à te réveiller demain matin.

— Attends une minute, Papa. Je dois ranger mes BD et je ne me suis pas encore lavé les dents.

— D'accord. Mais dépêche-toi.

J'ai remis mes livres dans leur boîte et replacé celle-ci sur l'étagère au-dessus de mon lit.

Mon pyjama enfilé, je suis allé me brosser les dents. J'ai pris tout mon temps, si bien qu'il n'était pas loin de onze heures lorsque je me suis finalement couché. Allongé sur le dos, fatigué, j'ai souri en sentant le marchand de sable passer. Ma dernière pensée fut pour le Cirque du Freak. Je me suis demandé à quoi pouvait ressembler un garçon-serpent, si la barbe de la femme-monstre était très longue et quel genre de numéros réalisaient Hans Ô-Les-Mains et Gertha Les Tenailles. Surtout, je me suis endormi en rêvant à l'araignée.

5.

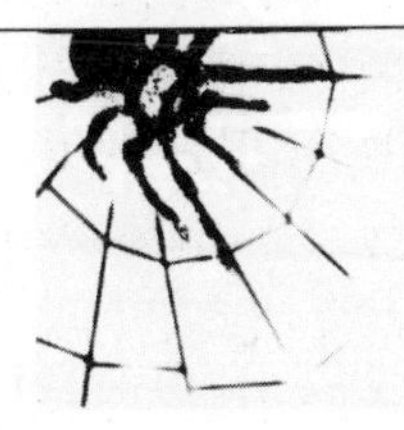

Le lendemain matin, Tommy, Alan et moi avons attendu Steve à l'entrée de l'école. Quand ça a sonné, il n'était toujours pas là, alors on est rentrés en classe sans lui.

— Je vous parie qu'il se cache, a lancé Tommy. Il n'a pas pu acheter les billets et maintenant, il a les boules de nous le dire en face.

— Ce n'est pas le genre de Steve, l'ai-je contredit.

— J'espère qu'il va au moins ramener le prospectus, a sorti Alan. Même si on ne peut pas y aller, j'aimerais bien le garder. Je voudrais le mettre au-dessus de mon lit et...

— Tu ne peux pas l'afficher dans ta chambre, imbécile ! s'est moqué Tommy.

— Et pourquoi pas ?

— Parce qu'alors ton frère le verrait, lui ai-je expliqué.

— Ah ouais, a reconnu Alan, l'air morose.

Côté cours, c'était une journée cata. J'ai d'abord eu géographie et chaque fois que Mme Quinn me posait une question, je donnais une mauvaise réponse. D'ordinaire, c'est ma matière préférée parce que je connais plein de trucs grâce à tous les timbres que je collectionnais avant.

— Tu as fait la fête, hier soir, Darren ? a demandé la prof au bout de cinq mauvaises réponses.

— Non, madame.

— Moi je pense que si. (Elle a souri.) Il y a plus de valises sous tes yeux que dans un aéroport international !

Tout le monde a ri de sa blague – Mme Quinn en fait rarement –, y compris moi, même si j'étais le dindon de la farce.

Le reste de la matinée m'a paru interminable. J'étais tellement déçu ! Je passais mon temps à me faire des films sur le spectacle de monstres ambulants. J'imaginais que j'étais l'un d'entre eux et que le directeur du cirque était un sale type qui nous fouettait tout le temps, même quand on lui obéissait au doigt et à l'œil. Tout le monde le détestait, mais il était si méchant et si impressionnant que personne n'osait l'affronter. Jusqu'à ce qu'un jour, il me fouette une fois de trop et que je me transforme en loup pour lui arracher la tête. Alors, tout le monde m'acclamait et je devenais le nouveau patron du cirque.

Plutôt pas mal comme rêve éveillé.

Un peu avant midi, la porte s'est ouverte et devinez qui est entré !? Steve ! Sa mère, derrière lui, a dit quelque chose à Mme Quinn qui a hoché la tête avec un sourire. Puis Mme Leonard est partie et Steve a tranquillement regagné sa place.

— T'étais où ? l'ai-je pressé dans un murmure.

— Chez le dentiste. J'ai complètement oublié de te dire que j'avais rendez-vous.

— Et qu'est-ce qui... ?

— Ça suffit, Darren, m'a ordonné la prof.

Je l'ai aussitôt bouclée.

À la récré, Tommy, Alan et moi nous sommes jetés sur Steve.

— T'as les billets ? ai-je tout de suite voulu savoir.

— C'est vrai que t'étais chez le dentiste ? a demandé Tommy pour sa part.

— Qu'est-ce que t'as fait de mon papier ? s'est inquiété Alan.

— Du calme, du calme, ça vient, les mecs, a répondu Steve en riant tandis qu'il nous repoussait. *Tout vient à point à qui sait attendre.*

— Allez, Steve, te fous pas de nous ! l'ai-je supplié. Tu les as, oui ou non ?

— Oui et non.

— Qu'est-ce que tu racontes ? a râlé Tommy.

— Eh bien, j'ai une bonne nouvelle, une mauvaise nouvelle et une nouvelle délirante. Par laquelle je commence ?

— La délirante ? ai-je décidé, perplexe.

Steve nous a attirés dans un coin de la cour et, après s'être assuré que personne ne pouvait entendre, il a commencé son récit à voix basse.

— J'ai piqué l'argent et je suis sorti en douce à sept heures, pendant que ma mère était au téléphone. J'ai speedé jusqu'au point de vente des billets et là, qui était déjà sur place à mon arrivée ? Je vous le donne en mille.

— Qui ? l'ai-je interrogé.

— Mr Dalton ! Avec deux flics. Ils essayaient de faire sortir de sa cabane le minuscule forain qui tenait la caisse quand, tout à coup, on a entendu un grand boum, et un immense nuage de fumée les a tous enveloppés. Lorsque le nuage s'est dissipé, le mec s'était volatilisé.

— Qu'est-ce que Mr Dalton et les policiers ont fait ? a voulu savoir Alan.

— Ils ont examiné la cabane et les environs, puis ils sont partis.

— Ils ne t'ont pas vu ? a fait Tommy.

— Non. J'étais bien caché.

— Alors tu n'as pas pu acheter les billets, ai-je commenté avec tristesse.

— Ce n'est pas ce que j'ai dit, a corrigé Steve.

— Tu les as ? ai-je haleté.

— J'ai fait demi-tour pour rentrer chez moi et je suis tombé nez à nez avec le forain. Un type vraiment tout petit, enroulé dans une grande cape des pieds à la tête. Il a pris le prospectus dans ma main et m'a tendu les billets. Je lui ai donné l'argent et…

— Tu les as ! avons-nous hurlé, fous de joie.

— Oui, a-t-il confirmé, un sourire radieux aux lèvres.

Après, cependant, son visage s'est assombri.

— Il y a un hic. Je vous ai dit que j'avais une mauvaise nouvelle, vous vous rappelez ?

— Vas-y, accouche, l'ai-je pressé en pensant qu'il avait perdu les billets.

— Il ne m'en a vendu que deux. J'avais l'argent pour quatre, mais il n'a pas voulu le prendre. Il n'a rien dit. Il s'est contenté de montrer du doigt le prospectus là où ça dit « Entrée soumise à conditions » et m'a tendu une carte sur laquelle c'était écrit que le Cirque du Freak ne vend pas plus de deux billets par prospectus. Je lui ai proposé de lui donner plus d'argent – en tout, j'avais presque cent dollars sur moi – mais il n'a rien voulu savoir.

— Il ne t'a vendu que *deux* billets ? a réagi Tommy, consterné.

— Mais alors ça veut dire… a commencé Alan.

— Que deux d'entre nous seulement pourront y aller, a terminé Steve.

Là, il nous a regardés et d'un ton grave, il a proclamé :

— Les deux autres devront rester chez eux.

6.

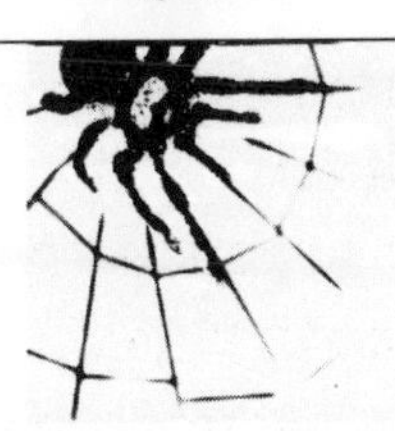

Vendredi après-midi. La fin de l'école, l'approche du week-end. Tous les élèves riaient, rentrant chez eux aussi vite que possible, trop contents d'être libres. Tous sauf quatre, malheureux comme les pierres et qui traînaient à la sortie de l'école avec une tête de six pieds de long. J'ai nommé Steve Leonard, Tommy Jones, Alan Morris et moi, Darren Shan.

— Ce n'est pas juste, a maugréé Alan. Un cirque qui ne vend que deux billets par personne ? C'est débile.

Nous étions tous d'accord avec lui mais à part donner des coups de pied par terre, il n'y avait pas grand-chose à faire.

Finalement, Alan a posé la question qui nous brûlait les lèvres.

— Alors, pour qui sont les billets ?

On s'est regardés à tour de rôle, secouant la tête d'une manière hésitante.

— Steve en reçoit d'office un, ai-je décrété. Il a investi plus d'argent que nous tous et c'est lui qui est allé les acheter. Vous êtes d'accord avec moi ?

— D'accord, a fait Tommy.

— D'accord, a consenti Alan après lui.

Je ne pense pas qu'il était vraiment d'accord, mais il

savait qu'il n'avait aucune chance de nous faire changer d'avis.

Steve a souri et s'est emparé d'un billet.

— Qui m'accompagne ?

— C'est moi qui ai apporté la publicité, s'est empressé d'avancer Alan.

— Oublie, mec ! C'est à Steve de choisir, ai-je décidé.

— Et puis quoi encore ! (Tommy s'est mis à rire.) Tu es son meilleur pote. Si on lui laisse le choix, c'est évident qu'il va y aller avec toi. Moi, je dis qu'il faut qu'on le gagne aux poings, ce billet. J'ai des gants de boxe à la maison.

— Hors de question ! a glapi Alan.

Il est petit et ne se bat jamais.

— Moi non plus, je n'ai pas envie de me battre, ai-je décliné.

Je ne suis pas un lâche, mais je savais pertinemment que je ne faisais pas le poids contre Tommy. Son père lui a appris à boxer et il y a un punching-ball chez eux. Il m'aurait mis K.-O. au premier round.

— Tirons à la courte paille, ai-je suggéré, mais Tommy a refusé parce qu'avec sa poisse, il ne gagne jamais rien.

On a continué à se disputer sur la façon de procéder jusqu'à ce que Steve ait une idée.

— Je sais ce qu'on va faire.

Il a ouvert son sac d'école et déchiré deux pages d'un cahier. Avec sa règle, il a découpé des petits morceaux, plus ou moins de la taille du billet. Ensuite, il a attrapé la boîte vide qui avait contenu son déjeuner et y a fourré les papiers.

— Voilà ce que je vous propose, a-t-il commencé en exhibant le billet dans sa main. Je mets ça dedans. Je ferme la boîte et je secoue, OK ? (On a tous acquiescé.) Mettez-vous côte à côte. Moi, je vais lancer les papiers en l'air. Celui qui attrape le billet a gagné. Le gagnant et moi, on remboursera les deux autres quand on aura l'argent. Ça vous paraît honnête ou vous avez une meilleure idée ?

— Moi, ça me va ! ai-je approuvé.

— Je ne sais pas, a grommelé Alan. C'est moi le plus jeune. Je ne saute pas aussi haut que...

— Arrête de chialer ! l'a coupé Tommy. Moi, je suis le plus petit et je ne me plains pas. En plus, le billet peut parfaitement être tout au fond de la boîte et ne pas s'envoler très haut. Si ça se trouve, il sera juste à la bonne hauteur pour le plus petit d'entre nous.

— C'est bon, s'est ravisé Alan. Mais personne ne pousse alors.

— OK, ai-je dit. Pas de brutalités.

Tommy a hoché la tête. Steve a serré la boîte entre ses mains et l'a agitée un bon moment.

— Préparez-vous, a-t-il annoncé.

On s'est écartés de lui pour s'aligner. Tommy et Alan se tenaient l'un à côté de l'autre, tandis que je restais à l'écart afin d'avoir suffisamment de place pour agiter les bras.

— Bon, à trois, je jette tout en l'air. Prêts ? a demandé Steve.

On a fait oui de la tête.

— Un.

Alan a épongé la sueur autour de ses yeux.

— Deux.

Tommy a remué nerveusement les mains.

— Trois !

Steve a ouvert sa boîte d'un coup sec et lancé les papiers de toutes ses forces en l'air.

Le vent les a soufflés directement vers nous. Tommy et Alan se sont mis à hurler tandis qu'ils s'efforçaient d'attraper tout ce qui bougeait. Impossible de distinguer le billet parmi les papiers.

C'est à ce moment-là que j'ai fait quelque chose de très bizarre. Ne me demandez pas pourquoi : au lieu d'essayer d'attraper le billet comme eux, j'ai fermé les yeux, écarté les bras et attendu que la magie opère.

En général, quand on essaie d'imiter un truc qu'on a vu à la télé, ça ne marche jamais, que ce soit un *wheeling* à vélo ou une figure en skate. Pourtant, alors qu'on s'y attend le moins, un miracle se produit parfois.

L'espace d'une seconde, j'ai senti un morceau de papier me frôler la main. J'étais sur le point de l'attraper lorsque j'ai eu l'intuition que c'était trop tôt. L'instant d'après, une voix à l'intérieur de moi s'est écriée « MAINTENANT ! ».

J'ai refermé les mains en vitesse.

Le vent est retombé et les bouts de papier se sont posés au sol. En ouvrant les yeux, j'ai aperçu Alan et Tommy qui, à genoux, cherchaient le billet.

— Il n'est pas là ! a constaté Tommy.

— Je ne le vois pas ! a crié Alan.

Là, ils ont cessé de chercher et levé les yeux vers moi. Les poings serrés, je n'avais pas bougé.

— Qu'est-ce que tu as dans la main, Darren ? m'a interrogé Steve, doucement.

Je l'ai dévisagé, incapable de répondre. J'avais la sensation d'être dans un rêve où je ne pouvais ni bouger ni parler.

— Ce n'est pas lui qui l'a, a décrété Tommy. Ce n'est pas possible. Il avait les yeux fermés.

— Peut-être bien, n'empêche qu'il a *quelque chose* dans la main, a insisté Steve.

— Montre. (Alan m'a bousculé.) Allez !

À tour de rôle, je les ai regardés, Alan, Tommy, puis Steve. Ensuite, lentement, très lentement, j'ai ouvert la main droite.

Rien.

J'ai eu la sensation que mon cœur s'arrêtait. Alan a souri et Tommy s'est remis à scruter le sol à la recherche du fameux billet.

— Et ton autre main ? est revenu à la charge Steve.

J'ai baissé les yeux sur mon poing gauche. Je l'avais presque oublié ! Plus lentement encore que l'autre, je l'ai desserré. Au milieu de ma paume, un morceau de papier vert, retourné. Comme il n'y avait rien d'écrit au verso, je l'ai tourné pour en avoir le cœur net. C'est alors que les lettres magiques, en rouge et bleu, sont apparues : CIRQUE DU FREAK.

J'avais gagné. C'est moi qui accompagnerais Steve au spectacle.

— OUAAAAIIIIIIIS !!!! ai-je hurlé, brandissant mon poing en l'air.

7.

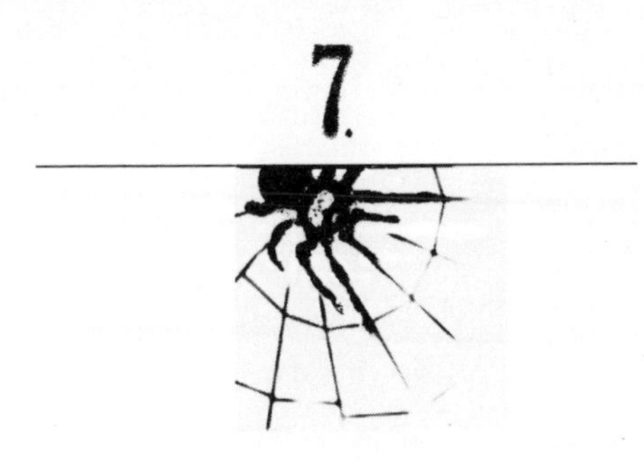

Les billets étaient pour la représentation du samedi soir. Ça tombait bien : je n'avais plus qu'à convaincre mes parents de me laisser passer la nuit chez mon copain.

Je ne leur ai pas parlé du spectacle de monstres car je savais qu'alors, ils me diraient non. Je me sentais mal de leur mentir. D'un autre côté, ce n'était pas un vrai mensonge. J'avais juste gardé quelques détails pour moi.

La journée du samedi m'a semblé atrocement longue. J'ai fait de mon mieux pour m'occuper et faire passer le temps plus vite, mais je n'ai pas réussi à penser à autre chose qu'au Cirque du Freak, espérant, chaque seconde, que ce soit l'heure d'y aller. J'étais tellement de mauvaise humeur – chose plutôt inhabituelle pour moi, un samedi – que Maman n'a pas été mécontente de me voir partir chez Steve.

Annie, à qui j'avais raconté que j'allais à la représentation, m'a demandé de lui rapporter un souvenir, une photo si possible. Je lui ai expliqué que les appareils photo étaient interdits, ainsi que les billets le mentionnaient, et que je n'avais pas assez d'argent pour lui acheter un tee-shirt. À la place, je lui ai promis de lui ramener un pin's, s'il y en avait, ou une affiche, à condition qu'elle la planque et qu'elle dise aux parents qu'elle ne savait pas d'où elle venait si jamais ils la découvraient.

Papa m'a déposé chez Steve à six heures. On a convenu qu'il viendrait me rechercher à midi le lendemain.

— Évite de regarder des films d'horreur, a-t-il exigé avant de partir. Je n'ai pas envie que tu fasses des cauchemars à la maison.

— Oh, Papa ! Tout le monde regarde des films d'horreur dans ma classe.

— Bon, un vieux film en noir et blanc ou l'un des Dracula les moins effrayants, passe encore, mais sûrement pas un de ces films récents, super violents. On est d'accord ?

— D'accord.

— À la bonne heure.

Il est parti et je me suis précipité vers la porte d'entrée où j'ai sonné quatre fois d'affilée, le message codé que Steve et moi avions choisi. Il devait m'attendre de l'autre côté car il a ouvert la porte sur-le-champ et m'a attiré à l'intérieur.

— C'est pas trop tôt ! a-t-il grogné. (Il a pointé du doigt les escaliers.) Vous voyez cette colline, soldat ?

— Oui, chef ! ai-je répondu au garde-à-vous.

— Nous la franchirons à l'aube.

— On prend les fusils ou les mitraillettes, chef ?

— Vous êtes cinglé ? Comment voulez-vous qu'on franchisse cette boue avec des mitraillettes ?

Il a indiqué la moquette à nos pieds.

— Je prépare les fusils, chef.

— Et si jamais on se faisait prendre, gardez la dernière balle pour vous, soldat.

On a grimpé les marches tels deux militaires ouvrant le

feu sur des ennemis imaginaires. Ç'avait beau être gamin, ça nous amusait beaucoup. Steve a perdu une jambe en chemin et j'ai dû lui donner un coup de main pour arriver en haut.

— Vous avez peut-être pris ma jambe ! a-t-il braillé au sommet de l'escalier. Et vous pouvez prendre ma vie, vous ne prendrez jamais mon pays !

Touchant, le discours ! En tout cas, ça a touché Mme Leonard qui est sortie du salon pour voir ce qui causait ce boucan. En m'apercevant, elle a souri et m'a demandé si je voulais manger ou boire quelque chose. J'ai refusé poliment. Steve a déclaré qu'il prendrait bien un peu de caviar avec du champagne, mais le ton sur lequel il l'a dit ne m'a pas fait rire.

Steve ne s'entend pas bien avec sa mère. Il vit seul avec elle – son père est parti lorsqu'il était tout petit – et ils se crient dessus tout le temps. Je ne sais pas pourquoi. Je ne lui ai jamais posé la question. Entre mecs, il y a certains sujets qu'on n'aborde pas. Les filles, c'est différent : elles parlent de ce genre de trucs, tandis que nous, on discute ordinateur, foot, guerre, etc. Bref, de tout sauf des parents.

— Comment va-t-on faire pour sortir après dîner ? ai-je chuchoté pendant que la mère de mon copain retournait au salon.

— Fastoche. Elle sort ce soir, elle aussi.

Steve appelle souvent sa mère « elle » au lieu de « Maman ».

— Elle pensera qu'on est au lit quand elle rentrera.

— Et si elle vient voir ?

Il a eu un rire méchant.

— Entrer dans ma chambre sans permission ? Elle n'osera jamais.

Je n'aimais pas Steve lorsqu'il parlait de cette façon, mais je me suis abstenu de tout commentaire des fois qu'il pique une de ses crises de nerf. Pour rien au monde je n'aurais voulu gâcher la soirée.

Steve a sorti quelques-unes de ses BD d'horreur et on les a lues à voix haute. Il en a des super, réservées aux adultes. Si ma mère et mon père avaient su !

Mon copain possédait également une collection de vieux magazines et bouquins sur les monstres, les vampires, les loups-garous et les fantômes.

— Est-ce qu'un pieu doit forcément être en bois ? l'ai-je interrogé après avoir lu une histoire de Dracula.

— Non, il peut aussi être en métal, en ivoire ou même en plastique. Ce qui compte, c'est qu'il soit assez dur pour transpercer le cœur.

— Et c'est ça qui tue un vampire ?

— Exactement.

J'ai froncé les sourcils.

— Mais tu m'avais dit qu'il fallait aussi leur couper la tête et la farcir d'ail avant de la jeter dans une rivière.

— C'est ce qu'ils disent dans certains livres, mais c'est juste pour être sûr qu'on tue l'âme du vampire en même temps que son corps. Comme ça, il ne revient pas sous forme de fantôme.

— Les vampires peuvent revenir nous hanter ? ai-je voulu savoir, les yeux exorbités.

— Probablement pas. N'empêche que si on peut, ça vaut le coup de leur trancher la tête et de s'en débarrasser pour être tout à fait sûrs. Avec les vampires, mieux vaut ne pas prendre de risques, pas vrai ?

— Vrai, ai-je consenti dans un frisson. Et les loups-garous ? J'ai entendu dire qu'il faut des balles en argent pour les tuer.

— Nan. À mon avis, des balles normales font l'affaire, même s'il faut en utiliser plein.

Steve est incollable sur le sujet. Il a lu tous les livres d'horreur possibles et imaginables. Il prétend que dans chaque histoire, même celles soi-disant inventées, il y a une part de vérité.

— Tu crois que l'homme-loup du Cirque du Freak est un loup-garou ?

Il a secoué la tête.

— D'après ce que j'ai lu, les hommes-loups des cirques sont en général des types très poilus, c'est tout. Il y en a qui sont plus proches des animaux que des hommes et qui mangent des poulets vivants, des trucs dans le genre, mais ce ne sont pas des loups-garous pour autant. Un loup-garou n'a rien à faire dans un cirque parce qu'il ne peut se transformer que les soirs de pleine lune. Le reste du temps, c'est un mec comme un autre.

— Ah bon. Et le garçon-serpent, tu crois…

— Hé, garde des questions pour plus tard, a ri Steve. Avant, les spectacles de monstres étaient horribles. Leurs propriétaires les affamaient, les enfermaient dans des cages toute la journée et les traitaient comme des chiens. Je ne sais pas à quoi celui-là va ressembler. Ça se trouve, ce ne sont même pas des monstres, mais simplement des gens déguisés.

La représentation avait lieu de l'autre côté de la ville.

On devait partir juste après neuf heures pour ne pas être en retard. On aurait pu prendre un taxi, sauf qu'on avait dépensé la quasi-totalité de notre argent de poche pour rembourser à Steve ce qu'il avait emprunté à sa mère. En plus, c'était plus cool de marcher. Plus flippant !

En route, on s'est raconté des histoires de fantômes. Mon meilleur ami a parlé presque tout le temps : son répertoire d'histoires est bien plus fourni que le mien. Il était dans une forme olympique. Parfois, il oublie la fin des histoires ou il se trompe dans les noms, mais pas cette fois-ci. C'était mieux que de passer une soirée avec Stephen King !

Pour aller jusqu'au cirque, ça faisait une sacrée trotte. Vu qu'on avait sous-estimé la longueur du trajet, à la fin, on a dû courir et on est arrivés essoufflés comme des bœufs.

Le spectacle se déroulait dans un vieux théâtre désaffecté. J'étais déjà passé devant, une ou deux fois. Steve m'avait raconté qu'on avait fermé le théâtre parce qu'un garçon s'était un jour tué en tombant du balcon. À ce qu'il disait, l'endroit était hanté. J'ai un jour posé la question à mon père mais il m'a répondu que c'était « un tissu de mensonges ». Pas facile de savoir s'il vaut mieux croire son père ou son meilleur copain.

L'immeuble ne portait aucune enseigne. Il n'y avait ni voiture garée devant, ni file de spectateurs à l'entrée. Une fois repris notre souffle, on a considéré le bâtiment un instant. Il était grand et sombre, en pierres grises dentelées. De nombreuses fenêtres avaient été brisées. Quant à la porte d'entrée, elle faisait l'effet d'une bouche de géant béante.

— Tu es sûr que c'est ici ? ai-je demandé en m'efforçant de dissimuler la peur dans ma voix.

— C'est l'adresse qui est écrite sur les billets. (Steve a revérifié encore une fois.) Ouais, c'est bien ça.

— Peut-être que la police a tout découvert et que le cirque a dû annuler ses représentations et partir.

— Peut-être...

J'ai observé Steve et me suis léché les lèvres nerveusement.

— Qu'est-ce qu'on doit faire d'après toi ?

Il m'a rendu mon regard, hésitant un moment à répondre.

— Je crois qu'il faut entrer. On n'est pas venus jusqu'ici pour faire demi-tour maintenant. Ce serait trop bête. Il faut en avoir le cœur net.

D'un hochement de tête, j'ai acquiescé. Puis, levant les yeux sur l'effrayant immeuble, j'ai dégluti, mal à l'aise. On aurait dit un décor de film d'horreur, le style d'endroit dont les gens ne ressortent jamais vivants.

— T'as peur ? ai-je interrogé Steve.

— Non.

Mais je pouvais entendre ses dents claquer.

— Toi ? a-t-il voulu savoir.

— Bien sûr que non.

On a échangé un sourire. On avait beau être terrorisés, on n'était pas tout seuls. C'était déjà ça.

— On y va ? a lancé Steve dans un effort pour paraître joyeux.

— Puisqu'on y est.

Après une grande inspiration, les doigts croisés, on a gravi les neuf marches lézardées et couvertes de mousse qui menaient à la porte et on est entrés.

8.

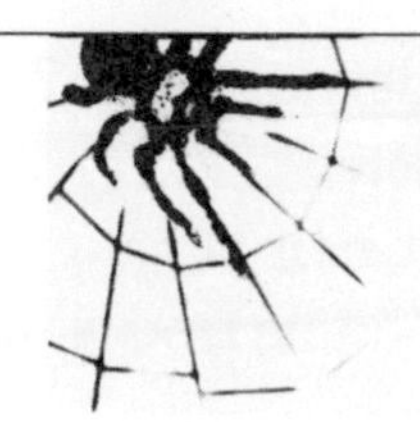

On s'est retrouvés dans un long couloir, sombre et glacial. Malgré mon blouson, je grelottais.

— Pourquoi a-t-on si froid ici ? me suis-je étonné. Il faisait bon dehors.

— Les vieilles baraques, c'est toujours comme ça.

On a avancé vers une lumière qui brillait à l'extrémité du couloir. Heureusement, plus on s'enfonçait, moins il faisait noir. Sans ça, je ne sais pas comment j'aurais fait. J'avais une frousse terrible !

Les murs étaient griffés et couverts de gribouillis. Au plafond, la peinture s'écaillait. De jour, le décor aurait largement eu de quoi filer la chair de poule, alors imaginez de nuit, deux heures seulement avant minuit !

— Il y a une porte ici, a annoncé mon copain en s'arrêtant devant.

Il l'a entrouverte et elle a grincé bruyamment. Ça ressemblait au bruit d'un cercueil qu'on ouvre. J'ai bien failli détaler comme un lapin.

Steve, qui ne semblait pas effrayé, a passé la tête à l'intérieur. Pendant quelques secondes, le temps que ses yeux s'habituent à la pénombre ambiante, il est resté silencieux, puis il a reculé.

— C'est l'escalier qui mène au balcon, a-t-il expliqué.

— Celui d'où est tombé le garçon ?

— Oui.

— Tu crois qu'on devrait y aller ?

Il a fait non de la tête.

— Han-han. Il fait noir là haut. Aucun signe d'activité. On essaiera par là si on ne trouve pas d'autre entrée, mais je pense...

— Je peux vous aider, les garçons ? nous a fait sursauter quelqu'un derrière nous.

On a pivoté sur nous-mêmes. Le mec le plus grand du monde nous toisait comme si nous étions deux cafards. Sa tête touchait quasiment le plafond. Ses mains étaient aussi immenses que squelettiques. Quant aux yeux qui trouaient son visage, ils brillaient d'un noir charbon.

— En voilà une heure pour traîner tout seuls à votre âge !

Sa voix, à la fois grave et rocailleuse, rappelait un coassement. En revanche, ses lèvres donnaient l'impression d'être immobiles. Il aurait fait un bon ventriloque.

— On..., a commencé Steve.

Il s'est arrêté pour s'humecter les lèvres.

— On est venus voir le Cirque du Freak.

— Vous m'en direz tant. (L'homme a hoché la tête lentement.) Vous avez des billets ?

— Oui, a répondu Steve en montrant le sien.

— Très bien, a marmonné le type avant de se tourner vers moi. Et toi, Darren, tu as ton billet ?

— Oui, oui.

J'ai fouillé dans ma poche puis je me suis figé sur place. Comment connaissait-il mon nom ? J'ai jeté un œil à Steve qui tremblait comme une feuille.

Le géant a souri. Il lui manquait des dents. D'autres étaient noires. Sa langue avait une couleur jaunâtre écœurante.

— Je m'appelle Mr Tall. Je suis le directeur du Cirque du Freak.

— Comment connaissez-vous le prénom de mon copain ? a lâché Steve avec courage.

L'homme a ri et s'est penché vers l'avant pour être nez à nez avec lui.

— J'en sais des choses, a-t-il raconté sur un ton doucereux. Je sais comment vous vous appelez, où est-ce que vous habitez. Je sais même que tu n'aimes ni ta mère ni ton père.

Il s'est tourné pour me faire face et j'ai instinctivement reculé. Son haleine empestait le rat crevé.

— Je sais que tu n'as pas dit à tes parents que tu venais ici ce soir et je sais aussi comment tu as gagné ton billet.

— Comment le savez-vous ?

Mes dents claquaient si fort que je n'étais pas certain qu'il ait entendu ma question. Toujours est-il qu'il ne m'a pas répondu et qu'à la place, il s'est redressé et il est parti.

— Dépêchons-nous, a-t-il lancé.

J'aurais cru qu'il aurait fait des pas de géant, mais pas du tout. Au contraire.

— Le spectacle va bientôt commencer. Tous les autres spectateurs sont déjà assis. Vous êtes en retard, mes garçons. Vous avez bien de la chance qu'on n'ait pas commencé sans vous.

Il a disparu au bout du couloir, derrière un coin. Il n'était qu'à une ou deux foulées de nous, pourtant, lorsqu'on a tourné nous aussi, on l'a découvert installé à une longue table recouverte d'une nappe noire qui descendait jusqu'au sol. À présent, il portait un grand chapeau rouge et une paire de gants.

— Vos billets, s'il vous plaît.

Il a tendu la main pour s'en emparer puis les a portés à sa bouche et les a mâchés avant de les avaler.

— Parfait. Vous pouvez y aller, a-t-il déclaré. En règle générale, les enfants ne sont pas admis à nos représentations, mais je vois bien que vous êtes deux jeunes hommes fort vaillants. Dans votre cas, nous ferons donc une exception.

Devant nous, deux rideaux bleus s'étendaient à l'extrémité du couloir. Steve et moi avons échangé des regards pleins d'angoisse.

— On va s'asseoir directement ? a voulu savoir celui-ci.

— Absolument, lui a confirmé Mr Tall.

— Il n'y a pas d'ouvreuse pour nous accompagner avec une lampe de poche ? ai-je insisté.

Ça l'a fait rigoler.

— Si vous voulez qu'on vous tienne la main, il fallait venir avec votre baby-sitter !

Sa remarque m'a tellement vexé que pendant un instant, j'en ai oublié ma peur.

— D'accord, ai-je rétorqué d'un ton sec en faisant un pas en avant, ce qui a surpris Steve. Puisque c'est comme ça...

J'ai avancé à grandes enjambées et franchi les rideaux.

Je ne sais pas en quoi ils étaient fabriqués, mais on aurait dit des toiles d'araignée. J'ai marqué une pause. Dans le petit couloir où je me trouvais, une nouvelle paire de rideaux s'étirait entre les murs, à quelques mètres de moi. Un bruit a subitement éclaté dans mon dos. Juste après, Steve m'a rejoint. Un brouhaha nous parvenait de l'autre côté de la séparation.

— Tu crois qu'on risque quelque chose ? ai-je interrogé Steve.

— Si tu veux mon avis, on risque moins gros à aller en avant qu'en arrière. Je doute que Mr Tall apprécierait si on faisait demi-tour.

— Tu as une idée de comment il a pu faire pour savoir tous ces trucs sur nous ?

— Il doit pouvoir lire dans les pensées.

J'ai réfléchi à cette possibilité un moment.

— J'ai failli mourir de trouille, ai-je avoué.

— Moi aussi.

Nous avons poursuivi notre chemin.

La salle était immense. Les fauteuils de théâtre avaient été piqués et remplacés par des chaises pliantes depuis belle lurette. On a cherché des places libres, mais le théâtre était bondé et nous étions les seuls enfants. Je sentais le regard des spectateurs peser sur nous tandis qu'ils s'entretenaient à voix basse.

Finalement, au quatrième rang, on a aperçu des places libres. Les nombreuses personnes qu'on a dû enjamber pour y arriver ont rouspété. En nous asseyant, on s'est rendu compte qu'il s'agissait de bons sièges parce qu'ils étaient situés juste en face de la scène. Étant donné que personne de grand n'était assis devant nous, on bénéficiait aussi d'une excellente vue.

— Tu crois qu'ils vendent du pop corn ?

— À un spectacle de monstres ? a raillé Steve. Arrête ton délire ! Des œufs de serpent et des yeux de lézard à la rigueur. Mais je te parie tout ce que tu veux qu'ils ne vendent pas de pop corn.

Un public hétérogène composait l'assemblée. Certaines personnes étaient bien habillées, d'autres portaient un simple jogging. Il y avait des gens super vieux et d'autres à peine plus âgés que Steve et moi. Des bavards, détendus, parlaient à leurs voisins comme s'ils étaient à un match de foot quand les spectateurs stressés, droits comme des « i » sur leur siège, jetaient partout des regards affolés.

Le point commun de tous ces gens, c'était l'excitation. Ça se lisait dans leurs yeux. La même lueur que nous brillait chez eux. D'une façon ou d'une autre, on savait tous qu'on était sur le point d'assister à une représentation à part, jamais vue.

Un ensemble de trompettes a soudain retenti et tout le monde s'est tu. Les musiciens ont continué à jouer encore et encore, toujours plus fort, jusqu'à ce que la moindre petite lumière s'éteigne, plongeant la salle dans l'obscurité totale. J'ai recommencé à avoir peur, mais il était trop tard pour reculer.

Tout à coup, les instruments ont laissé place au silence. J'avais les oreilles qui sifflaient. Pendant un court instant, j'ai même eu le tournis. Finalement, c'est passé et j'ai calé mon dos bien droit, au fond de mon siège.

Tout en haut du théâtre, quelqu'un a allumé une lumière verte et l'a dirigée vers la scène. Je trouvais ça sinistre. Pendant une minute environ, il ne s'est rien passé, puis deux hommes ont fait leur entrée en tirant une cage montée sur des roues et recouverte d'une immense couverture semblable à une peau d'ours. Ils se sont arrêtés en plein milieu, ont lâché les cordes et couru en coulisses.

Le silence est revenu, l'espace de quelques secondes. Ensuite, les trompettes ont sonné à nouveau. Trois petits coups. La couverture s'est subitement soulevée, découvrant le premier monstre.

Au même moment, les cris se sont élevés dans l'assistance.

9.

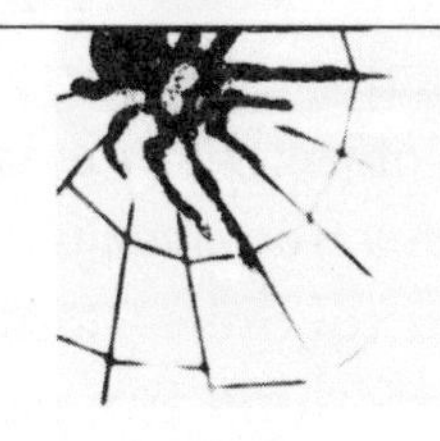

Ce n'était pas la peine de hurler. D'accord, le monstre était plutôt effrayant, mais il était enchaîné, à l'intérieur de la cage. Je pense que les cris, c'était pour délirer, comme à la fête foraine sur les manèges.

Face à nous, l'homme-loup. Il était très laid, couvert de poils sur tout le corps – les bras, le ventre, le dos, les jambes. Entre celles-ci, il portait un morceau de tissu façon Tarzan. Une longue barbe touffue mangeait la majorité de son visage. Ses yeux étaient jaunes, ses dents rouges.

Il s'est mis à secouer les barreaux de sa cage et à rugir. Je trouvais ça vachement impressionnant. Les cris, dans l'assistance, ont redoublé avec les rugissements. J'aurais bien crié moi aussi, mais je ne voulais pas passer pour une poule mouillée.

L'homme-loup a secoué les barreaux de plus belle et fait des bonds avant de se calmer. Une fois qu'il a été assis sur son arrière-train à la manière d'un chien, Mr Tall est entré en scène et a pris la parole.

— Mesdames et Messieurs, bienvenue au Cirque du Freak ! Ses artistes comptent parmi les individus les plus surprenants de la planète.

Sa voix, bien que grave et légèrement enrouée, portait loin dans le théâtre.

— Notre cirque est ancien, a-t-il poursuivi. Il parcourt le monde depuis cinq siècles et divertit les familles de génération en génération. Nos artistes vont et viennent. Néanmoins, notre objectif reste intact : vous offrir un spectacle comme vous n'en avez jamais vu dans votre vie, avec des numéros tantôt drôles, tantôt effrayants.

— Nous recommandons aux personnes sensibles de quitter la salle maintenant, a-t-il prévenu. Je suis persuadé que certains d'entre vous sont venus ici ce soir en pensant qu'il s'agissait d'une farce. Vous avez peut-être cru que les membres de notre troupe étaient des hommes ordinaires coiffés de masque ou encore des marginaux inoffensifs. Grave erreur ! Tous les numéros que vous allez voir ce soir sont bel et bien réels. Chaque artiste est unique en son genre. Et il n'y en a pas d'inoffensif.

Son discours s'est terminé sur ces mots et il a quitté la scène. Deux jolies femmes en costume brillant lui ont succédé. Elles ont ouvert la cage de l'homme-loup. Dans le public, quelques personnes ont pris peur mais aucune n'est partie.

Au moment de sortir de sa cage, l'homme-loup a jappé et poussé des hurlements jusqu'à ce qu'une des femmes l'hypnotise de la main. L'autre s'est adressée au public avec un accent étranger :

— Veuillez garder le silence. L'homme-loup ne vous fera aucun mal tant qu'il restera sous notre contrôle. Par contre, au moindre bruit un peu fort, il risque de se réveiller et de tuer quelqu'un !

Après, elles sont descendues de scène et ont commencé à se promener dans les allées avec l'homme-loup hypnotisé. Ses poils étaient d'un gris sale et il se déplaçait le dos voûté, les mains au niveau des genoux.

Les femmes, à ses côtés, faisaient respecter le silence. On pouvait le caresser si on voulait, à condition d'y aller tout doux. Steve lui a fait une caresse quand il est passé à sa hauteur. Moi, de peur qu'il se réveille et me morde, je n'ai pas voulu.

— Ça fait quoi ? l'ai-je interrogé dans un murmure.

— Ça pique. Comme un hérisson !

Il a porté ses doigts à son nez et inspiré.

— Ça sent bizarre aussi. On dirait du caoutchouc brûlé.

L'homme-loup et les assistantes étaient au milieu de la salle lorsqu'on a entendu un grand BOUM. Je ne sais pas d'où venait ce bruit, mais l'homme-loup s'est subitement mis à hurler et il a envoyé promener les deux femmes.

Pris de panique, les spectateurs ont commencé à hurler. Ceux qui se trouvaient près de lui ont bondi de leur siège et fui en quatrième vitesse. Une femme, cependant, n'a pas été assez rapide et l'homme-loup a sauté sur elle, l'entraînant au sol. Elle criait tant qu'elle pouvait. Pourtant, personne ne lui est venu en aide. Le monstre l'a retournée sur le dos et il a découvert ses dents. Sa proie a levé une main en l'air pour l'arrêter, mais il a planté ses crocs dedans et… l'a arrachée !

Plusieurs témoins se sont évanouis tandis que d'autres poussaient des hurlements et couraient partout. Alors, comme par magie, Mr Tall est apparu derrière l'homme-loup et il l'a entouré de ses bras. Ce dernier s'est débattu un instant, mais dès que le directeur lui a murmuré quelque chose à l'oreille, il s'est détendu. Pendant que le géant le ramenait sur scène, les femmes en costume ont calmé la foule et demandé à chacun de regagner sa place.

Les gens ont d'abord hésité. La victime à la main arrachée continuait à crier. De son poignet giclait du sang par terre et sur les spectateurs les plus proches. Avec Steve, on ne quittait pas la femme des yeux. Abasourdis, on se demandait si elle allait mourir.

Mr Tall est revenu. Il a ramassé la main coupée et il a sifflé très fort entre ses dents. Deux individus en cape bleue sont arrivés au trot. Ils n'étaient pas très grands – légèrement plus que Steve et moi – mais leurs bras et leurs jambes étaient tout en muscles. Le directeur a fait s'asseoir la blessée et il lui a susurré quelque chose à l'oreille. Elle a cessé de crier et n'a plus bougé.

L'homme l'a ensuite saisie au poignet puis il a sorti de sa poche un petit sac en cuir brun. De sa main libre, il l'a ouvert et a répandu une poudre scintillante rose sur le poignet ensanglanté. Après, il a collé la main au bout et hoché la tête à l'intention des deux personnes en cape bleue. Elles ont fait apparaître deux épingles et du fil orangé. Alors, à la stupéfaction générale, elles ont commencé à recoudre la main au poignet.

L'opération a duré cinq ou six minutes. La femme n'a pas eu l'air d'avoir mal malgré les aiguilles qui transperçaient sa chair. Une fois terminé, les deux mystérieux personnages ont rangé leur matériel et sont retournés d'où ils venaient. Je n'aurais su dire si c'était des hommes ou des femmes car leur capuche était restée en place tout du long. Quand ils sont partis, Mr Tall a lâché la main de la femme et il a reculé.

— Bougez les doigts, a-t-il ordonné.

La femme l'a dévisagé, ahurie.

— Bougez les doigts !

Cette fois-ci, elle a réussi à les remuer.

Incroyable ! Elle scrutait sa main comme si elle n'était pas réelle. Elle l'a bougée encore une fois avant de se mettre debout et de lever alors la main en l'air, bien au-dessus de sa tête. Elle l'a agitée de toutes ses forces. On pouvait voir les points de suture mais le sang avait disparu et ses doigts remuaient normalement.

— Vous n'aurez pas de séquelles, l'a rassurée Mr Tall. Les points de suture se résorberont d'eux-mêmes d'ici deux à trois jours et tout ça ne sera plus qu'un mauvais souvenir.

— C'est un peu facile, vous ne trouvez pas ? s'est élevée une voix tandis qu'un grand type tout rouge s'avançait. C'est ma femme, et moi je dis qu'on devrait voir un médecin et aller à la police. Vous n'avez pas le droit de laisser une bête sauvage comme ça, en liberté. Et s'il lui avait coupé la tête ?

— Dans ce cas, elle serait morte, a paisiblement reconnu le grand homme.

— Écoute, mec, a réagi le mari, mais le directeur l'a interrompu.

— Dites-moi, Monsieur, où étiez-vous lorsque l'attaque a eu lieu ?

— Moi ?

— Oui, *vous*, le mari. Vous étiez assis à côté de votre épouse au moment où l'homme-loup l'a attaquée. Pourquoi ne l'avez-vous pas secourue ?

— Ben… c'est-à-dire… je n'ai pas eu le temps… je ne…

Quoi qu'il dise, le type ne réussirait pas à s'en sortir. La vérité, c'est qu'il avait voulu sauver sa peau avant tout.

— Je vous rappelle que j'ai mis les spectateurs en garde. J'ai bien précisé que les numéros pouvaient être dangereux. Il ne s'agit pas d'un gentil petit cirque où tout se passe comme sur des roulettes. Il y a des accidents et parfois, les victimes sont beaucoup plus à plaindre que votre femme. C'est la raison pour laquelle ce spectacle est interdit et que nous sommes contraints de nous produire dans des théâtres abandonnés, au beau milieu de la nuit. La plupart du temps, tout se passe pour le mieux et personne n'est blessé. Pour autant, nous ne pouvons garantir votre sécurité.

Mr Tall tournait en rond, croisant au passage le regard de ses interlocuteurs.

— Non, nous ne pouvons garantir la sécurité de personne, a-t-il grondé. Il est peu probable qu'un tel accident se reproduise mais je ne peux pas le promettre. Je le répète : si vous avez peur, rentrez chez vous. Partez avant qu'il ne soit trop tard !

Quelques personnes sont finalement parties. Mais la majorité est restée, y compris la femme qui avait failli perdre la main.

— Tu veux rentrer ? ai-je interrogé Steve, espérant à moitié qu'il dirait oui.

J'étais fasciné mais j'avais peur aussi.

— T'es malade ? C'est trop cool. Ne me dis pas que tu as envie de t'en aller, si ?

— Sûrement pas ! ai-je menti en affichant au plus vite un petit sourire incertain.

Si seulement je n'avais pas eu si peur de passer pour un lâche. Je serais parti et tout se serait bien terminé. Mais non, il a fallu que je joue les gros durs en restant jusqu'à la fin. Je ne compte plus le nombre de fois où j'ai rêvé que, ce soir-là, j'avais pris mes jambes à mon cou sans jamais me retourner...

10.

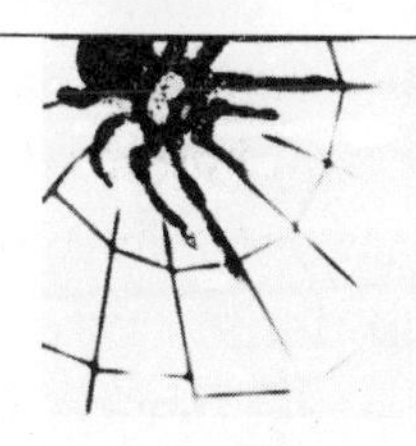

Dès la sortie de scène de Mr Tall, le public s'est rassis et le second artiste, Alexander Élastique, a fait son entrée. Son numéro était plutôt comique : exactement ce qu'il nous fallait après l'incident du départ. Tandis qu'il se produisait sur scène, j'ai regardé par-dessus mon épaule et aperçu deux des personnes en cape bleue à genoux en train de nettoyer les taches de sang par terre.

Alexander Élastique était l'homme le plus mince que j'aie jamais vu. Il n'avait que la peau sur les os : on aurait dit un squelette. Sans les larges sourires qu'il distribuait sans compter et qui lui donnaient un air très sympa, il aurait fait peur.

Il dansait au rythme d'une drôle de musique. Ses vêtements de danseur de ballet le rendaient si ridicule que, très vite, tout le monde s'est mis à rigoler. Passé un moment, il a arrêté de danser et a commencé une série d'étirements. Il nous a dit qu'il était contorsionniste (autrement dit, un type avec des os en caoutchouc qui peut se tordre dans tous les sens).

D'abord, il a rejeté sa tête en arrière, loin, si loin qu'on aurait cru qu'il avait été décapité. Alors, il s'est tourné de sorte qu'on voie son visage à l'envers, puis il a continué à se plier en deux jusqu'à ce que ses cheveux touchent le plancher. Là, il a saisi ses mollets et tiré sa tête entre ses jambes pour l'amener contre lui comme si elle était sortie de son ventre.

Les spectateurs l'ont applaudi tant qu'ils ont pu. Ensuite, il s'est redressé et s'est contorsionné à nouveau tel un brin de paille. Il a fait cinq nœuds autour de lui-même. Ses os ont même craqué sous l'effet de la tension. Après être resté dans cette position une minute, il s'est dénoué en un éclair.

Il est allé chercher deux baguettes avec de la fourrure au bout. De la première, il a frappé l'une de ses côtes toutes fines et ouvert la bouche : une note de musique s'en est échappée. Ça ressemblait à une note de piano. Il a refermé la bouche et frappé une autre côte du côté opposé : la note correspondante était plus aiguë cette fois-ci.

Passé cet échauffement, il a gardé la bouche ouverte tout le temps et joué des chansons entières : « London Bridge Is Falling Down », des tubes des Beatles ainsi que des génériques de séries télé.

L'homme-fil-de-fer a rejoint les coulisses sous un tonnerre de rappels. Cependant, il n'a pas offert de bis.

Rhamus Odeuventre a pris la place d'Alexander Élastique. Le premier était aussi gros que ce dernier était maigre. Et encore, « gros », c'est peu dire ! Le plancher a craqué sous son poids lorsqu'il est entré sur scène.

Il marchait tout près du bord et faisait semblant qu'il allait basculer vers l'avant. Au premier rang, les gens paraissaient inquiets. Certains ont même fait un bond en arrière alors qu'il s'approchait d'eux. Je me mets à leur place : il les aurait aplatis comme des crêpes s'il leur était tombé dessus.

Au centre de la scène, il a soudain marqué une pause.

— Bonjour, a-t-il dit d'une belle voix, douce et aiguë. Je m'appelle Rhamus Odeuventre et, ainsi que mon nom l'indique, j'ai deux estomacs. À l'instar de certains animaux, je suis né comme ça. Les médecins n'en croyaient pas leurs yeux. Ils m'ont qualifié de spécimen bizarre. C'est pourquoi j'ai rejoint ce cirque et je suis parmi vous ce soir.

Les femmes qui avaient hypnotisé l'homme-loup sont arrivées avec deux chariots pleins à craquer : gâteaux, chips, hamburgers et paquets de bonbons. Il y avait aussi des trucs que je n'avais jamais vus avant et encore moins goûtés.

— Miam, miam, s'est réjoui Rhamus.

Il a pointé du doigt une énorme pendule qui descendait vers lui du plafond, retenue par des cordes. Elle s'est arrêtée à trois mètres de sa tête environ.

— D'après vous, combien de temps vais-je mettre à manger tout ça ? a demandé Rhamus en indiquant la nourriture du chariot. La personne qui se rapprochera le plus de la vérité gagnera une récompense.

— Une heure ! s'est écrié quelqu'un.

— Quarante-cinq minutes, a braillé un autre.

— Deux heures, dix minutes et trente-trois secondes.

Aussitôt, tout le monde s'est mis à parier. Pour ma part, j'ai opté pour une heure et trois minutes. Steve, de son côté, a parié vingt-neuf minutes. Les paris descendaient jusqu'à dix-sept minutes.

Quand tout le monde a eu fini, la pendule a commencé à faire tic-tac et Rhamus à manger. Il engloutissait tout ce qui lui passait sous la main. Ses bras bougeaient à toute vitesse. On les distinguait à peine. Sa bouche ne semblait jamais se refermer. Il y enfournait quelque chose, l'avalait et passait à la suivante.

Le public n'en revenait pas. Personnellement, j'avais la nausée rien qu'à le regarder. Certains spectateurs étaient même en train de vomir !

Rhamus a terminé le dernier hamburger qui restait. La pendule s'est arrêtée : elle affichait quatre minutes et cinquante-six secondes !

Hallucinant ! Il avait englouti toute cette nourriture en moins de cinq minutes. Malgré ses deux ventres, je n'aurais jamais cru ça possible.

— Pas mal, a commenté l'artiste. Mais j'aurais bien repris encore un peu de dessert.

Tandis qu'on battait des mains en riant, les assistantes en costume à paillettes ont emporté les deux chariots et sont revenues avec un nouveau, plein de statuettes en verre, de fourchettes, de cuillers et de morceaux de métal.

— Avant de commencer, a déclaré Rhamus, je dois vous mettre en garde : n'essayez pas de faire ça chez vous. Je suis capable de manger des choses avec lesquelles vous vous étrangleriez ou qui vous tueraient.

Il s'est mis à manger en commençant par des écrous et des boulons qu'il a gobés comme des mouches. Après plusieurs poignées de cette étrange nourriture, il a donné une tape sur son gros ventre et le bruit métallique des vis a résonné.

Son ventre s'est soulevé et il a recraché ce qu'il avait mangé. S'il n'y avait eu que deux ou trois boulons, on aurait pu croire qu'il les avait gardés sous sa langue ou contre ses joues, mais même la bouche de Rhamus Odeuventre n'était pas assez grande pour contenir une telle quantité de vis.

Il est passé aux statuettes en verre. D'abord, il a croqué le verre pour en faire des petits morceaux qu'il a avalés avec un verre d'eau. Puis, il s'est attaqué aux cuillers et fourchettes. Après les avoir tordues, il les a fourrées dans sa bouche et les a avalées sans mâcher parce qu'il a expliqué que ses dents n'étaient pas assez solides pour déchiqueter le métal.

Finalement, il a gobé une longue chaîne métallique, puis il a marqué une pause pour reprendre sa respiration. Son ventre a subitement gargouillé et tremblé en même temps. Je me demandais ce qui se passait quand il a eu un haut-le-cœur. À cet instant, j'ai vu l'extrémité de la chaîne sortir de sa bouche.

Au fur et à mesure que la chaîne ressortait, on pouvait voir les cuillers et les fourchettes enroulées tout autour ! Il avait réussi à faire passer la chaîne au travers des anneaux formés par les couverts. C'était incroyable.

À la fin du numéro de Rhamus, je me suis dit que personne n'arriverait à l'égaler.

Je me suis trompé.

11

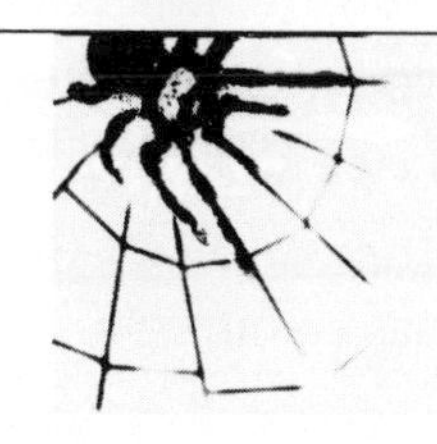

Après la performance de Rhamus Odeuventre, deux des capes bleues sont passées dans le public pour vendre des souvenirs. Il y avait des trucs cool : les écrous et boulons de Rhamus en chocolat par exemple ou des poupées Alexander Élastique en plastique qui se tordaient dans tous les sens. Ils vendaient aussi des mèches de cheveux de l'homme-loup. Je m'en suis offert : elles étaient rêches et coupantes comme des rasoirs.

— Gardez de l'argent pour plus tard : nous avons encore de nombreux articles à vous proposer, a annoncé Mr Tall depuis la scène.

— C'est combien, la statuette en verre ? a voulu savoir Steve.

C'était le même genre d'objet que Rhamus Odeuventre avait mangé. La cape bleue n'a rien répondu. Elle a simplement indiqué un papier avec le prix dessus.

— Je ne sais pas lire. Dites-moi seulement combien ça coûte.

J'ai dévisagé Steve. Je ne voyais pas où il voulait en venir. La cape bleue n'a toujours rien dit. Cette fois, elle (ou il) a rapidement secoué la tête et elle est partie avant que mon copain puisse réagir.

— Pourquoi t'as dit ça ? l'ai-je interrogé, après coup.

Il a haussé les épaules.

— Je voulais l'entendre parler. Pour voir si c'est un homme, une femme ou autre chose.

— Que veux-tu que ce soit d'autre ?

— Je n'en sais rien. C'est pour ça que j'ai posé ma question. Tu ne trouves pas ça bizarre, toi, qu'ils cachent tout le temps leur tête ?

— Ils sont peut-être timides.

— Peut-être, a-t-il conclu.

Je voyais bien, pourtant, qu'il n'en croyait rien.

L'entracte s'est terminé et l'artiste suivant est entré sur scène. Il s'agissait de la femme barbue. J'ai d'abord pensé que c'était une farce parce qu'elle n'avait pas de barbe du tout.

Le directeur, qui se tenait derrière elle, a pris la parole.

— Mesdames et Messieurs, le numéro qui va suivre est tout à fait spécial. Truska, ici présente, a rejoint notre troupe récemment. C'est l'une des artistes les plus incroyables que j'aie rencontrées dans ma vie. Son talent est incomparable.

Mr Tall a pris congé. Truska, dans sa robe rouge flottante ajourée, était vraiment très belle. Dans le public, de nombreux hommes ont commencé à tousser et à remuer sur leur siège.

La femme s'est avancée au bord de la scène pour qu'on la voie mieux. Ensuite, elle a ouvert la bouche. Un son en est sorti : il ressemblait au cri d'un phoque. Elle a placé ses mains sur son visage, une de chaque côté, et a délicatement caressé sa peau. Après, elle s'est pincé le nez et, de l'autre main, s'est chatouillé le menton.

Là, il s'est passé un truc extraordinaire : sa barbe s'est

mise à pousser ! Les poils sont d'abord apparus sur son menton puis sur sa lèvre du dessus avant de couvrir ses joues et, finalement, le bas de son visage tout entier. Ils étaient longs, blonds et raides.

Sa barbe a poussé d'une dizaine de centimètres. Truska a lâché son nez et elle est descendue parmi les spectateurs qu'elle a laissés caresser sa barbe ou tirer dessus.

Tandis qu'elle se promenait dans les allées, sa barbe continuait à s'allonger. Pour finir, elle a atteint ses pieds ! Une fois arrivée au bout du théâtre, la femme a fait demi-tour pour retourner sur les planches. Malgré l'absence de vent, sa barbe bougeait frénétiquement et chatouillait les gens au visage sur son passage.

Lorsque l'artiste a été de retour sur scène, le directeur du cirque a demandé à l'assistance une paire de ciseaux. Beaucoup de femmes en avaient une dans leur sac à main et Mr Tall a donc invité plusieurs d'entre elles à les rejoindre.

— Le Cirque du Freak remettra un lingot d'or à toute personne capable de couper la barbe de Truska.

Pour prouver qu'il ne plaisantait pas, il a alors montré une barre de métal doré.

Pendant dix minutes, presque tous les spectateurs, surexcités à cette idée, se sont efforcés de couper la fameuse barbe. Sans succès. Rien ne parvenait à couper les poils de la femme barbue, pas même la paire de cisailles que Mr Tall était allé chercher. Le plus drôle, c'est que sa barbe restait souple au toucher, exactement comme si elle avait été normale.

Après toutes leurs tentatives avortées, le directeur a renvoyé les gens à leur place et Truska est revenue se poster au centre de la scène. À nouveau, elle a caressé ses joues et chatouillé son menton, seulement cette fois-ci, la barbe s'est rétractée. Il a fallu environ deux minutes aux poils pour rentrer complètement sous la peau. Alors, la femme a repris son apparence d'origine et elle est sortie sous une pluie d'applaudissements. L'artiste suivant a aussitôt enchaîné.

Il s'appelait Hans Ô-les-Mains. Il nous a d'abord raconté l'histoire de son père, né sans jambes. Celui-ci a appris à se déplacer sur les mains aussi facilement que nous sur nos pieds et il a enseigné ses secrets à ses enfants.

Ensuite, Hans s'est assis. Il a ramené ses jambes contre lui et il a enroulé ses pieds autour de son cou. Debout sur les mains, il a parcouru la scène en long, en large et en travers. Tout à coup, il a sauté dans le public et défié quatre hommes, choisis au hasard. Ces derniers devraient faire la course avec lui sur leurs jambes tandis qu'il courrait sur les mains. Enfin, il a promis un lingot d'or à tout adversaire qui le battrait.

Ils se sont servis des allées du théâtre comme d'une piste. Malgré son désavantage, Hans a battu les quatre hommes à plate couture. Il a expliqué qu'il courait le cent mètres en huit secondes. Aucun spectateur n'a paru en douter. Après, il a réalisé des figures de gymnastique compliquées. Ses exploits ont prouvé qu'on pouvait s'en sortir aussi bien avec que sans jambes dans la vie. Je n'ai pas trouvé son numéro renversant. Juste divertissant.

Il y a eu un temps mort après le numéro d'Hans Ô-les-Mains. Finalement, Mr Tall est réapparu.

— Mesdames et Messieurs, le prochain numéro est un autre numéro unique qui vous laissera sans voix. Toutefois, il peut se révéler dangereux. C'est pourquoi je vous demanderais de ne pas faire de bruit et de ne pas applaudir jusqu'à nouvel ordre.

Le silence s'est fait dans le théâtre. Étant donné ce qui s'était passé avec l'homme-loup, on n'a pas eu besoin de nous dire les choses deux fois.

Le directeur a attendu que règne un calme absolu pour s'éclipser en annonçant les prochains artistes tout bas :

— Mr Crepsley et Madame Octa !

Les lumières tamisées, un homme à l'aspect inquiétant a fait son entrée sur scène. Il était grand et maigre, de teint très pâle, avec une minuscule touffe de cheveux roux sur le haut du crâne. Une longue cicatrice descendait sur sa joue gauche jusqu'à sa bouche et la déformait en tirant ses lèvres sur le côté.

Vêtu d'habits rouge sang, il tenait en main une petite cage en bois qu'il a déposée sur une table. Une fois installé, il s'est tourné pour faire face au public qu'il a salué en souriant. Il faisait encore plus peur lorsqu'il souriait. Ça me rappelait un film d'horreur avec un clown que j'avais une fois vu. Finalement, il a pris la parole pour présenter son numéro.

J'ai raté la première partie de son speech parce que je n'écoutais pas. J'avais les yeux rivés à Steve. En effet, au moment où Mr Crepsley avait fait son apparition, le public au complet avait retenu sa respiration. À une exception près : Steve, secoué par un hoquet de surprise.

Je considérais mon ami avec curiosité. Secoué de tremblements, il était presque aussi pâle que le mystérieux homme. Il avait même laissé tomber la figurine d'Alexandre Élastique qu'il avait achetée.

Alors qu'il fixait Mr Crepsley comme s'il ne pouvait

détacher ses yeux de lui et que je l'observais, une pensée m'a soudain traversé l'esprit : « On dirait qu'il a vu un fantôme. »

12

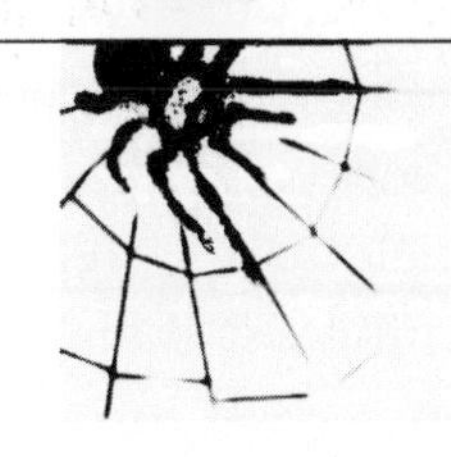

— Non, les tarentules ne sont pas toutes venimeuses, a proclamé Mr Crepsley.

Au son de sa voix grave, j'ai finalement réussi à détacher mon regard de Steve pour le reporter sur la scène.

— La plupart sont aussi inoffensives que celles qu'on trouve communément, un peu partout. Quant aux espèces venimeuses, elles ne renferment en général qu'une infime quantité de venin, capable de nuire seulement à des créatures de petite taille.

— Il en existe néanmoins des mortelles ! a-t-il repris. Certaines peuvent tuer un homme d'une simple morsure, même si elles sont rares et qu'elles vivent dans des zones reculées du globe.

— L'araignée que j'ai là en fait partie, a annoncé l'homme en ouvrant la cage.

Pendant une poignée de secondes, il ne s'est rien passé, puis la plus grosse araignée que j'aie jamais vue est sortie. D'un mélange vert, violet et rouge, son corps était dodu, ses pattes, longues et velues. J'avais beau ne pas craindre les araignées, je trouvais celle-là particulièrement effrayante.

La bête s'est avancée lentement. Ensuite, elle a plié les pattes et son corps s'est couché en position d'attaque, à l'affût.

— Madame Octa vit avec moi depuis plusieurs années, a continué Mr Crepsley. Sa durée de vie excède de beaucoup celle des araignées ordinaires. Le moine qui me l'a vendue m'a raconté que les espèces comme elle peuvent vivre jusqu'à vingt, voire, quelquefois, trente ans. C'est une créature incroyable, venimeuse, mais également dotée d'une formidable intelligence.

Tandis qu'il parlait, une des capes bleues a fait monter une chèvre sur scène. Celle-ci bêlait de peur et se débattait. L'assistant l'a attachée à une table avant de se retirer.

Entendant la chèvre, l'araignée a commencé à bouger en direction de la table. Elle l'a escaladée en rampant jusqu'au bord où elle s'est arrêtée comme si elle attendait des consignes. Son maître a sorti de la poche de son pantalon un petit sifflet brillant en étain qu'il a baptisé flûte, puis il s'est mis à jouer quatre ou cinq courtes notes. Madame Octa, aussitôt, a bondi dans les airs et atterri sur la nuque de la chèvre.

Instantanément, cette dernière a fait un grand bond tout en bêlant de plus belle. L'araignée n'y a prêté aucune attention. Elle s'est bien accrochée et s'est rapprochée de la tête. Une fois prête, elle a découvert ses crochets et les a enfoncés très profond dans la chair de l'animal.

La chèvre s'est alors figée, les yeux écarquillés. Elle a cessé de bêler et, un instant plus tard, s'est effondrée. J'ai d'abord cru qu'elle était morte, mais après, je me suis rendu compte qu'elle respirait encore.

— Je contrôle Madame Octa par l'intermédiaire de cette flûte, a dit son propriétaire.

Alors que je détachais mes yeux de la chèvre à terre, il a légèrement agité l'instrument au-dessus de sa tête.

— Elle a beau me tenir compagnie depuis longtemps, Madame Octa n'est pas un animal domestique pour autant. Si jamais je perdais cette flûte, il est certain qu'elle me tuerait.

— Cette chèvre est paralysée, a-t-il continué. J'ai appris à Madame Octa à ne pas tuer dès la première morsure. L'animal finirait quand même par mourir si on le laissait tel quel car il n'y a pas d'antidote aux morsures de Madame Octa. C'est pourquoi nous allons l'achever rapidement.

Mr Crepsley a sifflé à nouveau et l'araignée est encore remontée pour finalement atteindre l'oreille de la chèvre. Elle a mordu cette dernière une seconde fois. La bête a frissonné puis elle n'a plus bougé : elle était morte.

Madame Octa s'est laissé tomber de sa proie et a rampé jusqu'au bord de la scène. Les gens assis au premier rang ont pris peur. Certains d'entre eux ont bondi sur leurs pieds. Cependant, ils ont immédiatement réagi à l'ordre de Mr Crepsley.

— Ne bougez pas ! a-t-il soufflé. Rappelez-vous : un bruit soudain et c'est la fin !

L'araignée s'est immobilisée au bout de la scène où elle s'est mise sur ses deux pattes arrière, à la manière d'un chien. Son maître a légèrement sifflé dans son instrument et elle a reculé, toujours sur deux pattes. Au pied de la table, elle a fait demi-tour et grimpé.

— Vous ne craignez plus rien maintenant, a averti l'homme sur scène tandis que les spectateurs du premier rang se rasseyaient aussi lentement et calmement que possible. Par contre, je vous répète de ne pas faire de bruit. Sinon, elle pourrait s'en prendre à moi.

J'ignore si Mr Crepsley avait réellement peur ou s'il

jouait la comédie. Quoi qu'il en soit, l'expression sur son visage trahissait l'effroi. Il s'est essuyé le front de sa manche droite avant de remettre sa flûte en bouche pour jouer un petit air étrange.

Madame Octa a penché la tête sur le côté et fait comme si elle la hochait. Elle a traversé la table jusqu'à son maître. Ce dernier a baissé la main droite et elle est remontée sur son bras. À l'idée de ces longues pattes poilues qui rampaient sur sa chair, je me suis mis à transpirer à grosses gouttes. Pourtant, *j'aime* les araignées ! Les pauvres arachnophobes, je les plaignais. Ils devaient se ronger l'intérieur des joues jusqu'au sang.

Parvenue au sommet du bras de l'homme, l'araignée s'est précipitée sur son épaule, son cou, par-dessus son oreille jusqu'en haut de son crâne où, seulement, elle s'est arrêtée et abaissée sur ses pattes. Là, elle ressemblait à un chapeau rigolo.

Passé un temps, Mr Crepsley a rejoué de son instrument. L'araignée est redescendue de l'autre côté de son visage, le long de sa cicatrice et autour de sa bouche de sorte qu'elle se retrouve à l'envers, pendue à son menton. Sur place, elle a tissé une toile dont elle s'est servie pour descendre.

À ce moment-là, alors qu'elle se tenait une dizaine de centimètres sous le menton en question, elle a commencé à se balancer doucement d'un côté puis de l'autre. Très vite, elle est arrivée à hauteur des oreilles. Les pattes rentrées, elle donnait l'illusion d'une minuscule pelote de laine.

Soudain, tandis qu'elle remontait vers le haut, Mr Crepsley a rejeté sa tête vers l'arrière et elle a virevolté dans les airs. Le fil de sa toile a lâché et elle s'est mise à tourner encore et encore vers le bas. Pas une seconde, je ne l'ai quittée des yeux, pensant qu'elle allait se poser sur le sol ou sur la table, mais j'avais tort : elle a atterri dans la bouche de son propriétaire.

Imaginer que l'araignée était sur le point de s'engouffrer dans son ventre par la gorge m'a donné un haut-le-cœur. J'étais persuadé qu'elle lui infligerait une morsure mortelle. Mais Madame Octa était bien plus intelligente que je ne croyais. Lors de sa chute, elle avait sorti ses pattes et s'en était servie pour se raccrocher aux lèvres de Mr Crepsley.

Celui-ci a ramené sa tête vers l'avant pour qu'on puisse voir son visage. Sa bouche était grande ouverte avec Madame Octa en plein milieu. Le corps de l'araignée oscillait entre dedans et dehors. On aurait dit un ballon que l'artiste gonflait et laissait se dégonfler avant de le gonfler à nouveau.

Je me demandais bien où pouvait être la flûte et comment il ferait pour contrôler la bête à présent. C'est alors que Mr Tall est arrivé avec un second instrument. Il ne jouait pas aussi bien que Mr Crepsley mais il était suffisamment bon pour que Madame Octa le remarque. Elle l'a écouté, puis elle est passée d'un côté de la bouche de son maître à l'autre.

Je n'ai d'abord pas compris ce qu'elle faisait. J'ai tendu le cou pour mieux voir. Lorsque j'ai aperçu les points blancs sur les lèvres de Mr Crepsley, j'ai pigé : elle tissait sa toile.

Quand elle a eu fini, elle est retournée se placer sous le menton de ce dernier. La toile, immense, s'étendait sur toute la bouche de l'homme. Il s'est subitement mis à la mâcher ! Pour finir, il a tout mangé et s'est frotté la panse (en prenant soin de ne pas bousculer Madame Octa au passage) avant de déclarer :

— Hummm, délicieux. Rien ne vaut une bonne toile d'araignée fraîche. D'où je viens, elles sont considérées comme des friandises.

L'étrange dompteur a poursuivi son numéro en amenant Madame Octa à pousser une balle d'un bout à l'autre de la table. Ensuite, il l'a fait tenir en équilibre sur la balle, puis il a installé un mini-équipement de salle de gym – des haltères, des cordes et des anneaux –, et l'a mise à l'épreuve. L'araignée était capable de soulever des poids au-dessus de sa tête, de grimper à la corde ou de se suspendre aux anneaux, imitant parfaitement les prouesses humaines.

Pour l'épreuve suivante, l'homme est allé chercher une dînette. Les assiettes, les couteaux, les fourchettes et les verres étaient vraiment riquiqui. Des mouches mortes remplissaient, parmi d'autres insectes, les assiettes. J'ignore ce qu'il y avait dans les verres.

Madame Octa a avalé ce repas le plus proprement du monde grâce aux couverts qu'elle manipulait par quatre. Elle a même salé l'une des assiettes avec la fausse salière qui se trouvait sur la table.

Au moment où elle vidait son verre, j'ai décrété qu'elle était l'animal domestique le plus génial de toute la Terre. J'aurais tout donné pour qu'elle soit à moi. Je savais bien que c'était impossible, que mes parents ne me laisseraient jamais l'avoir, même si j'avais de quoi l'acheter, mais ça ne m'empêchait pas de rêver.

Le numéro terminé, Mr Crepsley a remis l'araignée dans sa cage et il a tiré sa révérence au public qui l'acclamait en frappant des mains. J'ai entendu plusieurs spectateurs regretter que la pauvre chèvre soit morte. N'empêche, c'était quand même une super performance.

Alors que je me tournais vers Steve pour lui dire combien j'avais trouvé l'araignée géniale, j'ai constaté qu'il dévisageait toujours l'artiste. Il n'avait plus l'air d'en avoir peur, mais il ne semblait pas normal non plus.

— Qu'est-ce qui ne va pas ? l'ai-je interrogé.

Pas de réponse.

— Steve ?

— Chhhut ! m'a-t-il rembarré, refusant de rouvrir la bouche jusqu'à ce que Mr Crepsley ait quitté les planches.

Après l'avoir suivi des yeux pendant qu'il regagnait les coulisses, Steve m'a regardé et dit en haletant :

— Le top !

— L'araignée ? Excellente, hein ! Comment est-ce que tu crois que...

— Je ne te parle pas de l'araignée ! Rien à foutre d'un vieil insecte débile. Je veux parler de... Mr Crepsley.

Il a marqué une pause avant de nommer l'homme, comme s'il avait failli l'appeler autrement.

— Mr Crepsley ? ai-je répété, confus. Qu'est-ce qu'il a de si extraordinaire ? Il n'a fait que jouer du pipeau.

— T'as rien capté, s'est emporté Steve. Tu ne sais pas qui c'est.

— Et toi, oui ?

— Eh oui !

Il s'est frotté le menton, affichant à nouveau une mine inquiète.

— J'espère juste qu'il ne sait pas que je sais. Sinon, ça se peut qu'on ne sorte jamais d'ici vivants...

13.

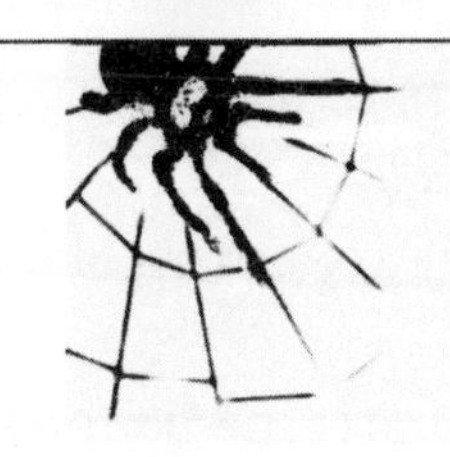

Un autre entracte a séparé le numéro de Mr Crepsley et Madame Octa du suivant. J'ai tenté de persuader Steve de me dire qui était l'homme, mais rien n'y a fait. Tout ce qu'il trouvait à dire, c'était :

— Il faut que je réfléchisse.

Alors, il fermait les yeux, baissait la tête et se creusait les méninges.

Ils ont vendu d'autres trucs supers à l'entracte : des barbes comme celle de Truska, des poupées Hans Ô-les-Mains et, le top du top, des araignées en caoutchouc qui ressemblaient à Madame Octa. J'en ai acheté deux, une pour moi, une pour Annie. Elles n'étaient pas aussi géniales que l'originale, évidemment, mais c'était déjà ça.

On pouvait aussi acheter des toiles d'araignée en bonbon. Avec l'argent qu'il me restait, j'en ai pris six et mangé deux en attendant le prochain numéro. Elles avaient goût de barbe à papa. J'ai mis la deuxième sur mes lèvres et l'ai léchée pour la manger en imitant Mr Crepsley.

Les lumières, lentement, se sont éteintes et les gens ont repris place au fond de leur siège. Gertha Les Tenailles était l'artiste suivante. Elle possédait de grosses jambes, des bras épais, un large cou et une tête très ronde.

— Mesdames et Messieurs, je me présente : Gertha Les

Tenailles. (Elle s'exprimait d'une voix stricte.) J'ai les dents les plus puissantes du monde. Quand j'étais petite, mon père a mis ses doigts dans ma bouche pour jouer et je lui en ai sectionné deux !

Quelques spectateurs ont rigolé. Elle les a calmés d'un regard furibond.

— Je ne suis pas une comédienne ! Si vous rigolez encore, je descends vous arracher le nez d'un coup d'incisives !

Dit comme ça, ça avait l'air drôle. Pourtant, personne n'a osé rire.

Elle parlait très fort et chacune de ses phrases faisait l'effet d'un coup de poing, marqué d'un point d'exclamation.

— Ma dentition a stupéfié les dentistes du monde entier. J'ai été examinée dans tous les centres de soins dentaires possibles et imaginables sans que personne puisse expliquer la puissance de mes dents. On m'a offert d'énormes sommes d'argent pour que je serve de cobaye, mais je préfère voyager !

Elle a saisi quatre barres en métal, d'environ vingt centimètres de long chacune, mais de largeur différente. Après, elle a appelé des volontaires. Quatre hommes sont montés sur scène. À chacun, elle a tendu une barre métallique et donné pour consigne de la tordre. Ils ont essayé de leur mieux, mais ça n'a pas marché. Gertha s'est donc emparée de la plus petite barre, l'a placée entre ses dents et a mordu dedans comme dans une pomme, la coupant en deux.

Elle a rendu les deux bouts à l'un des hommes qui, abasourdi, les a regardés avant d'en mettre un à son tour dans la bouche pour vérifier que c'était bien de l'acier. Ses hurlements lorsqu'il a manqué de se casser les dents dessus ont suffi comme preuve.

Gertha a répété le même scénario avec la deuxième et la troisième barre, chacune plus grosse que la précédente. Arrivée à la quatrième, la plus dure, la femme l'a coupée en petits morceaux avec ses dents.

Plus tard, deux assistants en cape bleue ont apporté un grand radiateur qu'elle a percé d'immenses trous avec sa bouche. Ensuite, ils lui ont donné un vélo dont elle a fait une mini-balle avec ses dents – y compris les rayons, chambres à air et tout et tout. À mon avis, rien ne résistait aux mâchoires de Gertha dès lors qu'elle l'avait décidé.

L'artiste a fait appel à de nouveaux volontaires. Elle a confié une masse et un grand burin à l'un d'entre eux, un marteau et un burin plus petit à un autre, et une scie électrique au dernier. Là, elle s'est allongée par terre, a positionné le plus grand des burins dans sa bouche et fait signe au premier volontaire de frapper celui-ci avec la masse.

L'homme a pris son élan en levant l'outil bien au-dessus de sa tête et il a tapé. J'ai bien cru qu'il allait écrabouiller le crâne de Gertha et je ne suis pas le seul, à en juger par les cris et les spectateurs qui se cachaient les yeux pour ne pas voir.

Mais la femme n'était pas une imbécile. Elle a roulé sur le côté, laissant la masse heurter le plancher. Elle s'est assise et a craché le burin qu'elle avait dans la bouche.

— Qu'est-ce que vous croyez ? Je ne suis pas complètement folle !

Une des capes bleues a repris la masse à l'homme.

— Je ne vous ai fait monter ici que pour montrer que la

masse est une vraie. Maintenant, Mesdames et Messieurs, regardez bien !

Elle s'est rallongée et a replacé le burin dans sa bouche. La cape bleue a attendu un instant puis elle s'est préparée à frapper avec la masse, plus fort et plus vite encore que le spectateur. Celle-ci a violemment heurté le haut du burin dans un grand bruit.

Gertha s'est redressée. Je m'attendais à ce que toutes ses dents tombent, mais lorsqu'elle a ouvert la bouche et retiré le burin, tout était intact.

— Ah-ah ! Vous vous êtes dit que j'avais les yeux plus gros que le ventre, n'est-ce pas ? a-t-elle rigolé.

Après, ça a été au tour du deuxième volontaire, celui avec le marteau et le plus petit burin. Elle l'a prévenu qu'il devait faire attention à ses gencives et l'a laissé positionner le burin afin de taper dessus. Le type a failli lui fracasser le bras à la place. En revanche, la dentition de Gertha n'a pas souffert le moins du monde.

Le troisième homme a tenté de sectionner cette dernière à la scie électrique. Tandis qu'il promenait l'engin d'un côté à l'autre de sa bouche, des étincelles ont été projetées un peu partout. Mais quand il a reposé la scie et que le nuage de poussière s'est dissipé, la dentition de la femme était aussi blanche, éclatante et impeccable qu'avant.

Sive et Seersa, les jumeaux contorsionnistes, ont suivi. Leur numéro consistait en des figures dans lesquelles ils enroulaient leur corps de façon à donner l'impression qu'ils avaient deux torses et pas de dos ou deux torses et pas de jambes. Ils étaient doués et leur numéro était assez intéressant, mais bien moins que les précédents.

La prestation terminée, Mr Tall a remercié le public

d'être venu. J'avais imaginé que les artistes reviendraient se mettre tous en ligne sur scène pour le salut final, mais pas du tout. Le directeur a annoncé qu'on pouvait encore se procurer des souvenirs au fond du théâtre en sortant. Il nous a demandé de parler du spectacle autour de nous et a clôturé la soirée avec de nouveaux remerciements.

J'étais plutôt déçu que la représentation se termine comme ça, platement. D'un autre côté, il était tard et les artistes devaient être fatigués. Je me suis levé, ai rassemblé mes achats et me suis tourné vers Steve pour lui parler.

Les yeux grands ouverts, il regardait derrière moi en direction du balcon. Alors que je faisais un tour sur moi-même pour voir ce qui l'intriguait, des cris d'effroi ont retenti. En levant les yeux, j'ai compris pourquoi.

Un immense serpent – le plus long que j'aie jamais vu – descendait du balcon le long d'une colonne et filait droit sur les spectateurs en dessous !

14.

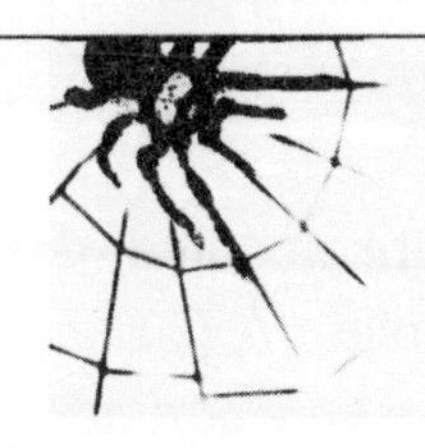

Le reptile sortait et rentrait sa langue, l'air méchamment affamé. Il n'était pas très coloré – dans les vert foncé avec quelques touches plus claires ici et là – mais il semblait mortel. Au premier sens du terme.

Les spectateurs situés sous le balcon ont rejoint leurs sièges au galop. Dans leur course, ils perdaient leurs affaires et hurlaient à pleins poumons. Quelques personnes se sont évanouies tandis que d'autres s'étalaient, piétinées. Avec Steve, on avait de la chance d'être près de la scène. Sinon, vu qu'on était les moins grands dans la salle, on serait morts écrasés par la foule.

Le serpent était sur le point d'atteindre le sol quand quelqu'un a braqué une lumière très forte sur sa tête. L'animal s'est immobilisé, fixant la source lumineuse sans cligner des yeux. Les gens ont cessé de courir et la panique générale s'est estompée. Les personnes bousculées se sont relevées. Il ne semblait pas y avoir de blessé, heureusement.

Derrière nous, un bruit a éclaté. En me tournant pour faire face à la scène, j'ai découvert un garçon d'une quinzaine d'années, maigre, avec une longue chevelure dans les tons jaune et vert. Ses paupières étaient bizarres, allongées, comme celles d'un serpent. Il portait une longue robe blanche.

Le garçon a sifflé et levé les bras en l'air. Sa robe est tombée à ses pieds et tous ceux qui le regardaient à ce moment-là ont laissé échapper un cri de surprise : son corps était couvert d'écailles !

Il scintillait de la tête aux pieds dans un dégradé de vert, d'or, de jaune et de bleu. À part son short, il était nu. Il s'est tourné afin qu'on voie son dos, identique à son torse, à quelques écailles plus foncées près.

De retour face à nous, il s'est allongé sur le ventre et il est descendu de scène en ondulant à la manière d'un reptile. À cet instant précis, j'ai repensé au garçon-serpent sur le prospectus et j'ai fait le rapprochement.

Il s'est mis debout et il a marché jusqu'au fond du théâtre. Au passage, j'ai constaté qu'il avait des mains et des pieds bizarres : ses doigts étaient liés les uns aux autres par une fine pellicule de peau. Il me rappelait un monstre que j'avais vu dans un vieux film d'horreur et qui vivait dans un lagon noir.

À quelques mètres de la colonne, le garçon-serpent s'est accroupi. La lumière qui éblouissait le reptile s'est éteinte et il s'est remis à bouger, parcourant la faible distance qui le séparait du sol. Le garçon a émis un nouveau sifflement qui a immobilisé l'animal. Je me suis souvenu qu'une fois, j'avais lu que les serpents n'ont pas d'ouïe, mais qu'ils sentent les sons.

Le jeune dompteur s'est légèrement balancé d'un pied sur l'autre et le serpent l'a suivi des yeux tout doucement. Il s'est glissé jusqu'au reptile. J'ai pensé qu'il allait se faire mordre. Pire, que la bête allait le tuer. Je voulais lui crier de s'enfuir, mais le garçon-serpent savait ce qu'il faisait.

Une fois tout près, il a chatouillé le reptile sous le menton avec ses drôles de mains palmées. Ensuite, il s'est penché et il l'a embrassé sur le nez !

Le serpent s'est enroulé plusieurs fois autour du cou de son maître, laissant sa queue retomber dans le dos de ce dernier telle une écharpe.

Le garçon a caressé l'animal en souriant. Je m'étais figuré qu'il passerait parmi les spectateurs pour qu'ils puissent le caresser à leur tour, mais non. À la place, il est allé sur le côté de la salle, à distance de la sortie. Il a déroulé la bête et l'a posée sur le sol pour lui rechatouiller le menton.

Celle-ci a ouvert grand la gueule cette fois et j'ai aperçu ses crochets. Le garçon-serpent s'est étendu sur le dos non loin du serpent puis il s'en est rapproché en se tortillant.

« Non..., me suis-je dit tout bas. Il ne va quand même pas... »

Et pourtant si : il a enfoncé sa tête dans la gueule de l'animal !

Il est resté là quelques secondes avant de sortir délicatement. Il a encore une fois enroulé le reptile autour de lui jusqu'à ce que celui-ci le recouvre complètement à l'exception de son visage. Alors, je ne sais pas comment, il a réussi à se mettre debout et souri jusqu'aux oreilles. On aurait dit un tapis enroulé sur lui-même.

— Cette fois-ci, Mesdames et Messieurs, le spectacle est bel et bien terminé, a précisé Mr Tall depuis la scène, dans notre dos.

Le sourire aux lèvres, il a bondi dans les airs et s'est évaporé dans un nuage de fumée. Lorsque ce dernier s'est dissipé, j'ai repéré le directeur du cirque près de la sortie, tenant les rideaux pour les gens qui s'en allaient.

Les jolies dames en costume à paillettes et les capes

bleues se tenaient de chaque côté de lui, leurs bras pleins de bonbons et de bibelots. Je m'en suis voulu de ne pas avoir gardé un peu d'argent.

Steve, pendant que nous attendions, n'a pas dit un mot. D'après l'expression sur son visage, je devinais qu'il était toujours occupé à réfléchir. Dans ces cas-là, je savais qu'il était inutile d'essayer de lui parler.

Une fois les rangs vides derrière nous, on s'est approchés de la sortie. J'emportais avec moi mes souvenirs, mais aussi ceux de Steve qui, trop absorbé par ses pensées, les aurait laissés tomber ou carrément oubliés.

Mr Tall, debout à la sortie, continuait à saluer les spectateurs en souriant alors qu'ils passaient entre les rideaux. À notre approche, le sourire du directeur a redoublé.

— Dites-moi, mes garçons, le spectacle vous a plu ?

— C'était sensas', me suis-je enthousiasmé.

— Ça ne vous a pas fait peur ? a-t-il voulu savoir.

— Un peu, ai-je avoué, mais pas plus qu'aux autres.

— Vous êtes bien courageux, tous les deux, a-t-il conclu après un éclat de rire.

Il y avait encore des personnes après nous et nous nous sommes donc dépêchés de sortir. Dans le petit couloir séparé par les deux paires de rideaux, Steve jetait des regards partout quand soudain, il s'est penché pour me chuchoter à l'oreille :

— Ne m'attends pas pour rentrer.

— Quoi ?

Je me suis arrêté aussi sec. Derrière nous, les spectateurs discutaient toujours avec le géant.

— Tu m'as bien entendu.

— Et pourquoi ça ?

— Parce que je reste ici. Je ne sais pas comment ça va tourner mais je dois rester. Je te rejoins à la maison, quand j'aurai...

Il n'a pas terminé sa phrase, me poussant à la place vers l'avant.

Nous sommes passés de l'autre côté de la seconde paire de rideaux, dans le couloir avec la table recouverte d'une nappe noire. Les gens, plus loin devant, nous tournaient le dos. Steve a jeté un œil par-dessus son épaule pour s'assurer que personne ne regardait, puis il s'est jeté sous la table, derrière la nappe.

— Steve ! ai-je soufflé de crainte qu'il nous attire des ennuis.

— Tire-toi, a-t-il sifflé de son côté.

— Mais tu ne peux pas...

— Vas-y, je te dis ! Allez ! Vite ! Sinon tu vas te faire prendre.

Je n'aimais pas ça mais je n'avais pas franchement le choix. Quelque chose me disait que Steve allait péter les plombs si je ne faisais pas ce qu'il disait et je ne voulais surtout pas avoir à subir une de ses crises de nerf.

Je me suis remis en route, ai tourné au coin et me suis engagé dans le long couloir qui menait jusqu'à la porte principale du bâtiment. Je marchais d'un pas lent, réfléchissant, si bien que les gens devant moi m'ont distancé. D'un coup d'œil en arrière, j'ai constaté qu'il n'y avait personne d'autre.

À ce moment précis, j'ai repéré la porte.

C'était celle que nous avions ouverte en arrivant : la porte qui menait au balcon. J'ai marqué une pause devant et l'ai ouverte pour revérifier qu'il n'y avait personne. Toujours aucun mouvement.

« Très bien, me suis-je dit à moi-même, je reste ! Je ne sais pas ce que Steve manigance, mais c'est mon meilleur pote. S'il a des ennuis, je veux être là pour lui filer un coup de main. »

Sans me laisser le temps de changer d'avis, je me suis glissé derrière la porte, l'ai refermée en vitesse et suis resté là, debout, dans le noir, le cœur battant.

J'ai passé un bon moment, immobile, à écouter les derniers spectateurs s'en aller. Je percevais leurs murmures tandis qu'ils commentaient la représentation avec un mélange de terreur et d'excitation. Avec le départ des dernières personnes, le théâtre a replongé dans le silence. J'aurais cru que j'entendrais des bruits en provenance de la salle, des employés en train de nettoyer ou de remettre les sièges en place, mais le bâtiment tout entier était aussi silencieux qu'un cimetière.

J'ai monté les escaliers. Mes yeux s'étaient habitués à l'obscurité et je voyais clair désormais. Les marches, qui ne dataient pas d'hier, craquaient. Je redoutais à moitié qu'elles ne s'effondrent sous mon poids et que je meure dans la chute, mais elles ont tenu bon.

Une fois en haut, j'ai découvert que j'étais au centre du balcon. Crasseux et poussiéreux, l'endroit était aussi glacial. J'ai frissonné alors que je rampais vers l'avant de la plate-forme.

De là, j'avais une excellente vue sur la scène. Les lumières y étaient toujours allumées et je voyais tout en détail. Les artistes, les assistantes, les capes bleues avaient disparu, de même que Steve. Je me suis assis et j'ai attendu.

Cinq minutes plus tard environ, j'ai repéré une ombre qui rampait tout doucement vers la scène. L'ombre s'est relevée et, debout, elle a marché jusqu'au milieu où elle s'est interrompue avant de se tourner.

C'était Steve.

Il s'est avancé vers l'aile de gauche, a marqué une nouvelle pause, puis s'est dirigé vers la droite. Nouvelle pause. Il rongeait ses ongles, cherchant visiblement par où aller.

C'est alors qu'une voix s'est élevée, haut, très haut, au-dessus de sa tête.

— C'est moi que tu cherches ? a-t-elle demandé.

Une silhouette s'est abattue sur la scène, bras écartés, une longue cape rouge flottant derrière elle telle une paire d'ailes.

Steve a fait un bond au plafond lorsque la forme est arrivée. Ensuite, il s'est recroquevillé par terre tandis que je basculais vers l'arrière, terrorisé. Au moment de reprendre appui sur les genoux, la silhouette était debout et je pouvais en distinguer les vêtements rouges, les cheveux roux, le teint pâle et la grande balafre.

Mr Crepsley !

Steve a tenté de parler mais il claquait trop fort des dents.

— Je t'ai vu m'observer, a dit l'homme. Tu as quasiment crié en m'apercevant pour la première fois. Pourquoi ?

— Pa pa papapapa parce que je... je je sais qui vous êtes.

— Je m'appelle Larten Crepsley.

— Non, je sais qui vous êtes *vraiment*.

— Ah bon ? a souri l'homme même s'il était évident que ça ne le faisait pas rire du tout. Eh bien, dis-moi, petit, qui suis-je vraiment ?

— Votre nom, c'est Vur Horston, a raconté Steve, lui clouant le bec.

Alors, ça a été mon tour de rester sans voix quand mon copain a ajouté :

— Vous êtes un vampire.

Sur ces paroles, un silence aussi long que terrifiant s'est fait.

15.

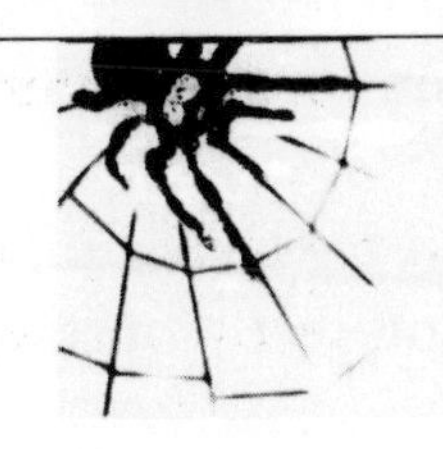

Mr Crepsley (ou Vur Horston si tel était son nom) a souri.

— Ah-ah, je suis découvert. Pas étonnant. Ça devait finir par arriver. Dis-moi, mon garçon, qui t'envoie ?

— Personne.

L'homme a froncé les sourcils.

— Voyons, voyons, n'essaie pas de jouer au plus malin avec moi, a-t-il grondé. Pour qui travailles-tu ? Qui m'a dénoncé et pour quoi ?

— Je ne travaille pour personne, a insisté mon ami. J'ai plein de livres et de magazines sur les vampires et les monstres chez moi. Dans l'un d'eux, il y avait une photo de vous.

— Une photo ? a répété Mr Crepsley avec suspicion.

— Un tableau, plus exactement. Il a été peint en 1903 à Paris. On vous y voit avec une riche femme. La légende disait que vous aviez failli l'épouser mais qu'en découvrant que vous étiez un vampire, elle vous avait largué.

Ce récit a fait sourire l'intéressé.

— C'est une raison comme une autre. Ses amies ont cru qu'elle avait inventé toute cette histoire pour ne pas perdre la face.

— Mais c'était la vérité, pas vrai ?

— Toute la vérité, rien que la vérité. (Le vampire a soupiré et fixé Steve d'un regard plein de férocité.) Bien qu'il eût mieux valu pour *toi* que ce ne soit pas le cas ! a-t-il rugi.

À la place de mon meilleur ami, j'aurais décampé illico presto en entendant cela. Pourtant, ce dernier n'a pas bougé d'un pouce.

— Vous ne me ferez pas de mal, a sorti Steve.

— Ah non ? Et pourquoi ça ?

— À cause de mon copain. Je lui ai tout raconté sur vous et si jamais il m'arrive quoi que ce soit, il ira tout droit chez les flics.

— Ils n'en croiront rien ! a raillé l'homme.

— Peut-être pas. N'empêche que si je suis porté disparu ou qu'ils me retrouvent mort, il faudra qu'ils enquêtent. Vous ne prendriez pas ce risque. Des tonnes de flics qui vous harcèlent avec leurs questions, qui perquisitionnent à longueur de temps…

— Aaaaah, les gosses ! (Mr Crepsley a secoué la tête avec dégoût.) Je les hais ! Bon, que veux-tu ? De l'argent ? Des bijoux ? L'exclusivité pour publier ma biographie ?

— Je veux me joindre à vous.

Je suis presque tombé du balcon en entendant Steve. *Se joindre à lui ?*

— Que veux-tu dire ? a voulu savoir le vampire, aussi interloqué que moi.

— Je veux être un vampire moi aussi. Je veux que vous m'aidiez à en devenir un et que vous m'enseigniez vos us et coutumes.

— Tu es complètement fou !

— Pas du tout.

— Je ne peux pas faire d'un enfant un vampire. Je serais condamné à mort par les Généraux si je faisais ça.

— Qui sont les Généraux ?

— Peu importe, a répondu le vampire. Ce n'est pas possible, c'est tout ce que tu as besoin de savoir. On ne change pas les enfants en vampires. Ça cause trop de problèmes.

— Alors, ne me changez pas tout de suite, a proposé Steve. Ça ne fait rien. Je peux attendre et rester apprenti. Je sais que les vampires ont souvent des assistants, moitié hommes, moitié vampires. Laissez-moi être votre assistant. Je travaillerai dur, je ferai mes preuves, et quand je serai assez grand...

Mr Crepsley, les yeux braqués sur mon copain, a réfléchi. Tout à coup, il a claqué des doigts et l'un des sièges du premier rang a volé jusque sur scène ! L'homme s'est assis dessus et a croisé les jambes.

— Pourquoi veux-tu être un vampire ? a-t-il demandé. Ce n'est pas ce qu'on fait de plus marrant. On ne peut sortir que la nuit. Les humains nous méprisent. Nous sommes forcés de dormir dans des endroits crasseux et vieux comme celui-ci. On ne peut ni se marier ni avoir d'enfants ni se ranger. Tu parles d'une vie !

— Ça m'est égal, s'est entêté Steve.

— Est-ce parce que tu veux devenir immortel ? Si c'est le cas, je préfère te dire que tu es mal informé. Nous vivons bien plus longtemps que des êtres humains ordinaires, mais nous mourrons de la même façon, un jour ou l'autre.

— Je m'en fiche. Je veux venir avec vous. Je veux apprendre. Et devenir un vampire à mon tour.

— Et tes amis ? Tu ne pourrais plus les voir. Tu serais

obligé de quitter ton école et ta maison pour toujours. Et tes parents ? Ils te manqueraient.

Steve, d'un air malheureux, a répondu non de la tête et regardé ses pieds.

— Mon père ne vit plus avec nous, a-t-il expliqué du bout des lèvres. Je ne le vois pratiquement jamais. Et ma mère, elle ne m'aime pas. Elle se fout de ce que je fais. Elle ne remarquera probablement pas que je ne suis plus là.

— C'est pour cette raison que tu souhaites t'enfuir ? Parce que ta mère ne t'aime pas ?

— En partie.

— Patiente encore quelques années et tu seras en âge de vivre seul.

— Je ne veux pas attendre.

— Et tes amis ?

Mr Crepsley, bien qu'il fasse encore un peu peur, paraissait soudain très gentil.

— Le garçon avec lequel tu es venu ce soir, par exemple, il ne te manquerait pas ?

— Darren ? (Steve a acquiescé d'un hochement de tête.) C'est sûr que mes copains me manqueraient, surtout Darren. Mais ça n'a pas d'importance. Ce qui compte le plus, c'est que je devienne un vampire. Et puis si vous refusez, j'irai tout raconter à la police et, plus tard, je deviendrai chasseur de vampires !

Ça n'a pas fait rire le vampire qui, au contraire, a hoché la tête avec sérieux.

— Tu as tout bien considéré ?

— Oui.

— Tu es sûr et certain que c'est ce que tu veux ?

— Certain.

Mr Crepsley a inspiré profondément.

— Approche. Je dois d'abord faire un test.

Steve est venu se placer devant le vampire, dans mon champ de vision, si bien que je n'ai rien pu voir de ce qui se passait. Tout ce que je sais, c'est que tous les deux, ils se sont parlé tout bas. Puis il y a eu un bruit qui ressemblait à un chat en train de laper du lait.

Le dos de mon copain tremblait. À un moment, j'ai cru qu'il allait tomber à la renverse, mais il a réussi à rester debout. Inutile d'essayer de décrire la pétoche que j'ai eue devant un tel spectacle. Ça me démangeait de bondir sur mes jambes et d'hurler : « Ne fais pas ça, Steve ! Arrête ! »

Seulement, j'étais mort de peur, incapable du moindre geste. Je redoutais, si le vampire s'apercevait de ma présence, qu'il n'y ait plus moyen de l'empêcher de nous assassiner et de nous dévorer, mon copain et moi.

Soudain, le vampire s'est mis à tousser. Il a violemment repoussé Steve et s'est levé maladroitement. J'ai découvert avec horreur que sa bouche était rouge, pleine de sang qu'il s'est empressé de cracher.

— Qu'est-ce qui ne va pas ? l'a interrogé Steve en se frottant le bras là où il avait amorti sa chute.

— Ton sang est mauvais !

— Qu'est-ce que ça veut dire ? a-t-il demandé d'une voix chevrotante.

— Que tu es démoniaque ! Je peux sentir la menace dans ton sang. Tu es cruel.

— N'importe quoi ! Retirez tout de suite ce que vous avez dit, a hurlé mon ami.

Ce dernier s'est jeté sur le vampire pour lui flanquer un

coup de poing, mais celui-ci l'a envoyé balader d'une main seulement.

— Impossible. C'est comme ça : ton sang est mauvais, tu ne pourras jamais être un vampire.

— Mais pourquoi ?

Steve s'était mis à pleurer.

— Parce que les vampires ne sont pas les horribles monstres qu'on voudrait faire croire. Nous respectons la vie. Toi, tu as l'instinct d'un meurtrier.

— Je ne ferai pas de toi un vampire, a-t-il repris. Rentre chez toi et oublie tout ça.

— Non ! a rugi Steve. Je n'oublierai pas. (Il s'est relevé avec peine et, d'une main tremblante, a pointé du doigt le vampire, grand et laid.) Vous me le payerez, a-t-il promis. Peu importe combien de temps ça prendra. Un jour, Vur Horston, je vous retrouverai et je vous tuerai !

Sur ces paroles, il a sauté de scène et couru vers la sortie.

— Un jour ! a-t-il rappelé par-dessus son épaule avant de se mettre à rire à la manière d'un fou.

Alors, il est parti et je suis resté seul avec le vampire.

Assis au même endroit, ce dernier n'a pas bougé pendant un long moment. La tête entre les mains, il crachait du sang sur le sol. Il s'est frotté les dents de la main, puis avec un grand mouchoir.

— Maudits gosses ! a-t-il bronché tout haut.

Ensuite, il s'est mis debout en continuant à se frotter les dents. Il a jeté un dernier coup d'œil à la salle (je me suis aplati par terre au maximum) et s'est tourné pour regagner les coulisses tandis que des gouttes de sang tombaient toujours de ses lèvres.

J'ai gardé ma cachette pendant très, très longtemps. Pas évident. De toute ma vie, je n'avais jamais eu aussi peur que sur ce balcon. Je n'avais qu'une envie : déguerpir de ce théâtre à la vitesse grand V.

Au lieu de ça, je suis resté, me forçant à attendre le moment où je serai sûr qu'aucun artiste ou assistant ne traîne plus dans le coin. Finalement, j'ai peu à peu remonté le balcon en rampant, descendu les escaliers à pas de loup, direction le couloir, tout droit vers la sortie.

Debout, devant le théâtre, j'ai contemplé la lune quelques secondes et étudié les arbres alentours afin de m'assurer qu'il n'y avait pas de vampire tapi entre les branches. Après, j'ai piqué un sprint jusque chez moi en faisant le moins de bruit possible. Chez *moi*, pas chez Steve. Hors de question de me retrouver près de lui. J'avais presque aussi peur de lui que de Mr Crepsley, maintenant. C'est vrai, quoi ! Il faut être salement dérangé pour vouloir devenir un vampire !

16.

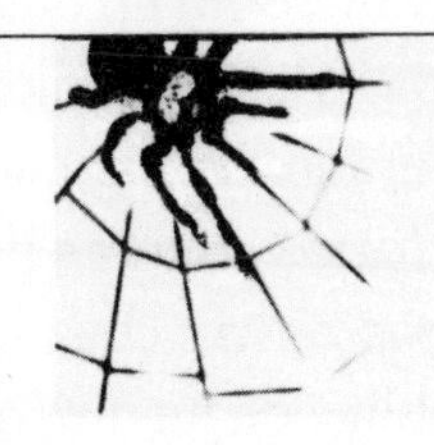

Je n'ai pas téléphoné à Steve le lendemain. J'ai raconté à Maman et Papa qu'on s'était disputés – raison pour laquelle j'étais rentré plus tôt que prévu. Ça ne leur a pas plu, en particulier le fait que je rentre à pied tout seul, si tard dans la nuit. Mon père m'a privé d'argent de poche et de sorties pendant un mois. Je n'ai pas protesté. De mon point de vue, je m'en sortais plutôt bien. Imaginez comment ils auraient réagi s'ils avaient su que j'étais allé au Cirque du Freak !

Annie adorait ses cadeaux. Elle a littéralement englouti ses bonbons et joué des heures avec son araignée. Il a fallu que je lui raconte le spectacle en détail. Elle voulait savoir à quoi ressemblait chaque monstre et ce qu'il avait fait. Elle a ouvert grand les yeux lorsque je lui ai parlé de l'homme-loup et de la femme à qui il avait arraché la main.

— Tu rigoles ? Ce n'est pas possible.

— Si, je te jure, lui ai-je répondu.

— Croix de bois, croix de fer ?

— Croix de bois, croix de fer, si je mens, je vais en enfer.

— Ouah ! J'aurais bien voulu voir ça. Si jamais tu y retournes, tu m'emmèneras ?

— Si tu veux, mais je doute que le Cirque du Freak vienne souvent par ici. Il se déplace tout le temps.

J'ai gardé pour moi l'épisode sur Mr Crepsley le vampire et le fait que Steve avait voulu en devenir un. En revanche, cette pensée ne m'a pas quitté de la journée ce dimanche-là. J'avais envie d'appeler mon copain, mais ne savais pas quoi lui dire. Il y avait de fortes chances pour qu'il me demande pourquoi je n'étais pas rentré chez lui après la soirée et je ne voulais pas être obligé de lui dire que j'étais resté dans le théâtre à l'espionner.

Imaginez : un vampire. Pour de vrai ! Autrefois, j'y croyais, mais mes parents et mes professeurs avaient fini par me convaincre qu'ils n'existaient pas. Comme quoi, les adultes ne savent pas tout !

Un flot de questions me passait par la tête : À quoi ressemblent vraiment les vampires ? Peuvent-ils faire dans la réalité les mêmes trucs que dans les films ou les livres ? J'avais vu Mr Crepsley faire voler une chaise, descendre en piqué depuis le toit du théâtre et même boire le sang de Steve. Que savait-il faire d'autre ? Se transformer en chauve-souris ? En rat ? Disparaître en fumée ? Pouvait-on voir son reflet dans un miroir ? Les rayons du soleil pourraient-ils le tuer ?

Le vampire n'était pas le seul à occuper mes pensées. Son araignée, Madame Octa, me fascinait tout autant. Je continuais à rêver que je m'achetais un spécimen comme elle et que je l'apprivoisais. Avec une araignée pareille, je parcourrais le monde avec une troupe semblable aux artistes du Cirque du Freak et il m'arriverait plein d'aventures.

Le dimanche s'est déroulé sans surprise. J'ai regardé la télé, aidé Papa au jardin et Maman à la cuisine (ça faisait partie de ma punition pour être rentré tard tout seul) ; je suis allé faire une longue promenade en fin d'après-midi où j'ai rêvé éveillé de vampires et d'araignées.

Lundi, enfin, est arrivé. J'étais nerveux de retourner à l'école. J'ignorais ce que je raconterais à Steve et ce qu'il allait me dire. En plus, je n'avais pas beaucoup dormi pendant le week-end (difficile de fermer l'œil après avoir vu un vampire pour de vrai) et je me traînais donc, fatigué.

Steve se trouvait dans la cour lorsque je suis arrivé. Ça n'était pas son style. En général, j'arrivais toujours avant lui, le matin. Il se tenait à l'écart des autres élèves. Il m'attendait. J'ai pris une grande inspiration et suis allé m'appuyer contre le mur à côté de lui.

— Salut.

— Salut, a-t-il répondu.

Il avait de gros cernes sous les yeux. Ma main au feu qu'il avait dû dormir encore moins que moi ces deux dernières nuits.

— Où t'étais passé, samedi ?

— Je suis rentré chez moi.

— Pourquoi ? a-t-il demandé en me regardant attentivement.

— Il faisait nuit. Je me suis trompé de chemin et je me suis perdu. Quand j'ai fini par me repérer, j'étais plus près de chez moi que de chez toi.

J'ai fait de mon mieux pour paraître convaincant. Mais c'était évident qu'il essayait de deviner si je disais la vérité ou pas.

— Tes vieux ont dû râler !

— M'en parle pas ! Privé d'argent de poche et consigné pendant un mois. Et mon père m'a réservé des corvées ménagères. N'empêche, ai-je poursuivi avec le sourire, ça valait le coup, hein ? J'ai trouvé le Cirque du Freak génial, pas toi ?

Steve m'a encore étudié un moment avant de se décider à me croire.

— Si ! C'est clair, a-t-il acquiescé en souriant à son tour.

Tommy et Alan sont arrivés et il a fallu tout leur raconter. Steve et moi, on jouait sacrément bien la comédie. Personne n'aurait pu deviner qu'il avait parlé à un vampire samedi et que j'avais tout vu.

Plus ça allait, plus je comprenais que les choses ne seraient plus jamais les mêmes entre Steve et moi. Il avait beau avoir gobé mon mensonge, une partie de lui continuait à avoir des doutes sur moi. De temps à autre, je le surprenais qui me regardait bizarrement. À sa tête, on aurait dit que je lui avais fait de la peine.

Personnellement, je gardais mes distances. Sa conversation avec le vampire, me terrifiait. De même que ce que lui avait répondu ce dernier. Selon lui, mon copain était quelqu'un de démoniaque. Cette pensée m'inquiétait. Après tout, Steve voulait devenir un vampire et assassiner des gens pour leur sang. Comment pouvais-je continuer à être ami avec un mec comme lui ?

Plus tard, cet après-midi-là, on a discuté de Madame Octa. Avec Steve, on n'avait pas beaucoup parlé de Mr Crepsley et de son araignée. On avait peur d'aborder le sujet, peur de faire une gaffe, j'imagine. En revanche, Tommy et Alan n'arrêtaient pas de nous bassiner avec leurs questions, si bien qu'on a fini par leur décrire le numéro exceptionnel du duo.

— À votre avis, il la contrôle comment ? nous a interrogés Tommy.

— C'était peut-être une fausse araignée, a réagi Alan.

— Dis pas de conneries ! ai-je grommelé. Tous les artistes étaient réels. C'est bien pour ça que le spectacle était génial.

— Alors, comment est-ce qu'il a fait pour la contrôler ? a insisté Tommy.

— Sa flûte est peut-être magique, ai-je proposé. Ou bien Mr Crepsley est un charmeur d'araignées. Comme les Indiens avec les serpents.

— Mais tu as dit que Mr Tall avait contrôlé l'araignée aussi, quand Madame Octa était dans la bouche de Mr Crepsley, est intervenu Alan.

— Ah ouais, c'est vrai. J'avais oublié. Du coup, ça doit vouloir dire qu'ils ont utilisé des flûtes magiques, ai-je conclu.

— Leurs flûtes ne sont pas magiques, a soudain sorti Steve.

Il n'avait pratiquement pas ouvert la bouche de la journée, me laissant la parole, la plupart du temps. Néanmoins, Steve ne résistait jamais à une occasion de sortir sa science.

— Mais alors comment ils ont fait ? l'ai-je interrogé.

— Télépathie, mon vieux.

— Ça a un rapport avec le téléphone ? a demandé Alan.

Steve a souri, et Tommy et moi avons éclaté de rire (bien que moi-même je ne sois pas sûr de savoir ce que signifiait exactement le mot « télépathie », et j'aurais parié que Tommy non plus d'ailleurs).

— Crétin ! a gloussé celui-ci en filant un coup de poing à Alan pour rire.

— Vas-y, Steve. Explique-lui.

— La télépathie, c'est quand on peut lire dans les pensées de quelqu'un, ou lui envoyer un message sans parler. C'est comme ça qu'ils ont dirigé l'araignée. En pensée.

— Et les flûtes alors ? Ça sert à quoi ? ai-je soulevé.

— Soit c'est juste pour le show, a expliqué Steve. Soit c'est pour attirer l'attention de l'araignée. Moi je penche pour la deuxième solution.

— Tu veux dire que n'importe qui pourrait la contrôler ? a demandé Tommy.

— N'importe qui avec un cerveau, a commenté Steve. Tu es éliminé d'office, Alan, a-t-il ajouté en souriant pour montrer qu'il plaisantait.

— Tu crois qu'on pourrait faire ça sans flûte magique ni cours particulier ni rien du tout d'autre ? a lancé Tommy.

— Je crois que oui, a répondu mon meilleur ami.

Après, on a changé de sujet. Si mes souvenirs sont bons, la conversation a dévié sur le foot, mais je n'en suis pas certain. Je n'écoutais pas. Une nouvelle idée venait de germer dans mon esprit qui avait chassé Steve, les vampires et tout le reste.

Tu veux dire que n'importe qui pourrait la contrôler ?

N'importe qui avec un cerveau.

Tu crois qu'on pourrait faire ça sans flûte magique ni cours particulier ni rien du tout d'autre ?

Je crois que oui.

Les paroles de Steve et Tommy résonnaient dans ma tête, se répétant à l'infini comme la piste d'un CD rayé.

N'importe qui pouvait la contrôler. Ça voulait dire moi aussi. Si j'arrivais à m'emparer de Madame Octa et à communiquer avec elle, je pourrais l'apprivoiser et la garder à la maison et…

Non, c'était ridicule. Même si j'arrivais à la contrôler, elle ne serait jamais à moi. C'était l'araignée de Mr Crepsley et pour rien au monde, il ne risquait de la partager avec moi. Même pas pour de l'argent ou des bijoux ou…

La solution m'est subitement apparue. Pour pouvoir lui prendre l'araignée. Pour pouvoir la garder. Il n'y avait qu'à le faire chanter en le menaçant de le dénoncer à la police.

Seulement, la perspective de me retrouver nez à nez avec le vampire me terrorisait. Je ne m'en sentais pas capable. Il ne me restait qu'une seule solution : lui voler Madame Octa !

À l'aube. Ce serait le meilleur moment pour m'emparer de l'araignée. Après leur spectacle, si tard dans la nuit, les artistes dormiraient au moins jusqu'à huit ou neuf heures. Je me glisserais dans leur campement, volerais Madame Octa et m'enfuirais sans être vu. Si jamais ça n'était pas possible – si personne ne dormait par exemple – je rentrerais à la maison et n'y penserais plus.

Le plus dur, c'était de choisir un jour pour y aller. Le mercredi était la journée idéale, selon moi. La veille, les membres du cirque auraient donné leur dernière représentation et ils seraient sûrement partis vers leur prochaine destination dans la matinée, bien avant que le vampire ne puisse se lever et s'apercevoir de la disparition. En revanche, à supposer qu'ils quittent la ville aussitôt le spectacle terminé, je pourrais dire adieu à l'araignée.

Il ne restait donc que mardi matin comme option. Ça signifiait aussi que Mr Crepsley aurait toute la nuit du mardi au mercredi pour chercher son araignée – et pour me chercher moi ! – mais je n'avais pas le choix : il fallait prendre le risque.

Je me suis couché plus tôt que d'habitude ce soir-là. Fatigué, j'avais envie de dormir. En même temps, j'étais tellement excité que j'ai cru que je n'y arriverais jamais.

J'ai souhaité bonne nuit à mes parents en embrassant ma mère et en faisant un câlin à mon père. Ils ont dû penser que j'essayais de récupérer mon argent de poche alors que j'ai fait ça au cas où il m'arrive quelque chose et que je ne les revoie plus jamais.

J'ai programmé mon radio-réveil pour sonner à cinq heures du matin, branché mon casque dedans et placé les écouteurs sur mes oreilles. Ainsi, je ne réveillerais personne.

Je me suis endormi plus rapidement que prévu et j'ai dormi d'une traite jusqu'au matin. J'ignore si j'ai rêvé. Je ne m'en souvenais plus au réveil.

En entendant la sonnerie, j'ai poussé un grognement. J'ai tourné le dos à l'appareil puis me suis assis en me frottant les yeux. Pendant quelques secondes, je me suis demandé où j'étais et pourquoi j'étais debout si tôt. Ensuite, je me suis rappelé l'araignée et mon plan, et j'ai souri à pleines dents.

Ça n'a pas duré longtemps parce que je me suis rendu compte que la sonnerie de mon réveil ne sortait pas de mes écouteurs. J'avais dû me retourner dans mon sommeil et débrancher le casque par la même occasion. J'ai bondi sur mon lit et éteint l'appareil d'une grande tape. Après, je suis resté immobile dans l'obscurité matinale, le cœur battant, l'oreille tendue.

Une fois certain que mes parents dormaient toujours, je me suis glissé hors du lit et me suis habillé sans faire de bruit. J'ai filé aux toilettes. Je m'apprêtais à tirer la chasse d'eau quand j'ai pensé au bruit que ça allait faire et retiré ma main illico, à quelques centimètres seulement de la poignée. J'ai épongé la sueur sur mon front. Je l'avais échappé belle : c'est certain que les parents m'auraient entendu. Il faudrait que je fasse plus attention une fois au théâtre.

Après avoir descendu les escaliers sur la pointe des pieds, j'ai quitté la maison. Le soleil se levait et promettait une belle journée.

J'ai marché à vive allure tout en fredonnant des chansons pour me donner du courage. J'étais stressé comme pas deux. Une bonne dizaine de fois au moins, j'ai failli rebrousser chemin. À un moment, j'ai fait demi-tour pour de bon, mais j'ai repensé à la façon dont l'araignée s'était pendue à la mâchoire de Mr Crepsley et à ses acrobaties, et je suis reparti dans l'autre direction.

Je ne pourrais pas dire pourquoi Madame Octa était si importante pour moi au point de mettre ma vie en danger. Aujourd'hui encore, je serais bien incapable de dire ce qui me motivait à l'époque. Un besoin, une pulsion plus forte que moi en tous les cas.

Le vieux bâtiment décrépi filait encore plus la trouille de jour. La façade était fissurée de haut en bas, percée de trous de souris et de rats, bouchée par des toiles d'araignée au niveau des fenêtres. J'ai frissonné et couru à l'arrière du théâtre. L'endroit était désert. Vieilles maisons à l'abandon, entrepôt de ferraille, décharges. Plus tard dans la journée, des gens y passeraient mais, à cette heure-ci, on aurait dit une ville fantôme. Pas même le moindre chat ou chien en vue.

Il y avait de nombreuses façons de pénétrer dans le théâtre. Entre les deux portes et les innombrables fenêtres, j'avais l'embarras du choix.

Plusieurs voitures et caravanes étaient garées à l'extérieur. Aucune d'entre elles ne portait de signe distinctif – publicité, photo ou logo –, mais j'étais persuadé qu'elles appartenaient au Cirque du Freak. Il m'est soudain venu à l'esprit que les artistes devaient dormir dans les caravanes. Si c'était le cas de Mr Crepsley, mon plan tombait à l'eau.

Je me suis faufilé dans le théâtre qui semblait encore plus glacial que le samedi soir. Ni vu, ni connu, j'ai remonté un couloir, puis un autre, et encore un autre. Un véritable labyrinthe ! J'ai commencé à m'inquiéter de ne pas retrouver mon chemin. J'aurais peut-être dû faire demi-tour pour aller chercher une pelote de ficelle et marquer ainsi...

Non ! C'était trop tard. Si je partais, jamais je n'aurais le cran de revenir. Il ne me restait plus qu'à faire de mon mieux pour mémoriser le chemin et dire une prière le moment venu de repartir.

Aucune trace des monstres. J'ai fini par penser qu'ils dormaient dans les caravanes ou dans un hôtel des environs et que j'étais venu pour rien. Cela faisait vingt minutes que je cherchais et j'avais les jambes en coton. Il était peut-être temps de faire une croix sur ce plan délirant et de rentrer chez moi.

J'allais abandonner quand j'ai découvert un escalier menant à une cave. En haut, j'ai marqué une longue pause en me mordant les lèvres. Devrais-je descendre ou pas ? J'avais vu suffisamment de films d'horreur pour savoir que c'était l'endroit de prédilection des vampires. Seulement, j'en avais vu tout autant dans lesquels le héros descendait dans une cave du même genre où il se faisait attaquer, assassiner et découper en morceaux !

Pour finir, j'ai inspiré profondément et entamé ma descente. Mes chaussures faisaient trop de bruit. Délicatement, je les ai enlevées et j'ai continué en chaussettes. J'ai ramassé quelques échardes au passage, mais j'étais trop nerveux pour sentir la douleur.

Au bas de l'escalier se trouvait une immense cage. À pas feutrés, je suis allé jeter un œil à travers les barreaux. L'homme-loup dormait à l'intérieur. Sur le dos, il ronflait. Tandis que je l'observais, il a subitement remué et grogné. J'ai bondi en arrière. S'il se réveillait, ses hurlements allaient attirer toute la troupe qui me mettrait le grappin dessus en moins de temps qu'il ne faut pour le dire.

Alors que je reculais en trébuchant, mon pied a heurté quelque chose de mou et visqueux. Lentement, j'ai tourné la tête et me suis aperçu que je me tenais au-dessus du garçon-serpent. Il était étendu par terre, son serpent enroulé autour de lui, les yeux grands ouverts !

Je ne sais pas comment j'ai fait pour ne pas hurler ni tomber dans les vapes. Quoi qu'il en soit, ça m'a sauvé la vie. Le garçon-serpent avait beau avoir les yeux ouverts, il était endormi, comme l'indiquait sa respiration régulière et profonde.

Je préférais ne pas imaginer ce qui se serait passé si je m'étais cassé la figure sur le garçon-serpent et son reptile, et que je les avais réveillés.

Je commençais à en avoir assez. Pour la dernière fois, j'ai balayé la sombre cave du regard et me suis promis de partir si je ne repérais pas le vampire. Après quelques secondes, ne voyant toujours rien, je me suis préparé à déguerpir quand j'ai remarqué une sorte de grande boîte, le long d'un des murs.

Du moins, je l'ai prise pour une grande boîte. La vérité, c'est que je savais parfaitement ce que c'était : un cercueil !

La gorge nouée, je me suis avancé tout doucement vers le cercueil. En bois foncé, taché, il mesurait environ deux mètres de long sur presque un de large. À certains endroits, la mousse avait poussé tandis que dans un des coins s'était installée une famille de cafards.

Je voudrais pouvoir dire que j'ai eu le courage de soulever le couvercle pour regarder à l'intérieur. Bien sûr, je ne l'ai pas eu. Le simple fait de toucher le cercueil me foutait déjà une trouille bleue ! J'en avais des frissons.

Persuadé que Madame Octa ne dormait pas très loin de son maître, j'ai cherché sa cage. Dans le mille : posée par terre, près de la tête du cercueil, elle était recouverte d'un grand linge rouge.

Pour en avoir le cœur net, j'ai jeté un coup d'œil à l'intérieur. L'araignée était bien là, le ventre battant au rythme de son pouls, les huit pattes secouées de mouvements convulsifs. Vue de si près, elle me semblait horrible, terrifiante. L'espace d'une seconde, j'ai même pensé la laisser. Mon plan m'a soudainement paru stupide et rien que d'imaginer toucher ses pattes velues ou la laisser s'approcher de mon visage me terrorisait.

Seulement, il aurait fallu être un sacré trouillard pour abandonner si près du but. Alors, j'ai déplacé la cage au centre de la cave. La clé était dans la serrure. L'une des flûtes pendait à un barreau.

J'ai sorti le mot que j'avais rédigé à la maison la veille au soir. Il avait beau être tout simple, ça m'avait pris super longtemps de l'écrire. Je l'ai relu au moment de le coller sur le dessus du cercueil avec un chewing-gum :

Mr Crepsley,
Je sais qui vous êtes. J'emporte Madame Octa avec moi. N'essayez pas de la retrouver. Ne remettez plus les pieds dans cette ville. Sinon, je dirai à tout le monde que vous êtes un vampire et vous serez pourchassé et tué. Je ne suis pas Steve. Il n'est au courant de rien. Je prendrai bien soin de l'araignée.

Évidemment, je n'ai pas signé ! Je ne suis pas fou.

Parler de Steve n'était probablement pas une bonne idée, mais je savais que le vampire penserait à lui quoi qu'il arrive, alors autant l'innocenter tout de suite.

Mon message en place, il était temps de partir. J'ai empoigné la cage et grimpé les escaliers aussi vite et silencieusement que possible. J'ai renfilé mes chaussures et regagné la sortie avec plus de facilité que je ne l'aurais cru. Après l'obscurité de la cave, les couloirs paraissaient beaucoup plus clairs. Une fois dehors, j'ai lentement contourné le bâtiment puis couru tout droit à la maison, ne m'arrêtant sous aucun prétexte, laissant le théâtre, le vampire, ma peur et tout le reste loin derrière moi. Tout, hormis Madame Octa !

18.

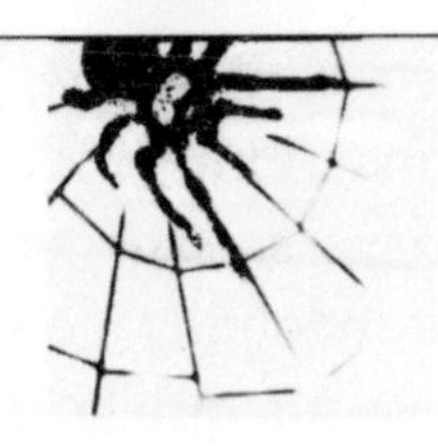

Je suis rentré une vingtaine de minutes avant que Maman et Papa se lèvent. J'ai caché la cage de l'araignée au fond de mon placard, sous une pile de vêtements, en prenant soin de laisser suffisamment d'air passer pour que Madame Octa puisse respirer. Elle serait en sécurité ici : Maman me laissait nettoyer ma chambre et ne venait pratiquement jamais fourrer son nez dans mes affaires.

Je me suis glissé au lit et j'ai fait semblant de dormir. Papa m'a appelé à huit heures moins le quart. Je me suis habillé et suis descendu en bâillant et m'étirant comme si je venais tout juste de me réveiller. J'ai avalé mon petit déjeuner et suis remonté en vitesse dans ma chambre voir comment allait l'araignée. Depuis que je l'avais volée, elle n'avait pas bougé. J'ai légèrement secoué sa cage. Toujours rien. Pas un geste.

J'aurais bien aimé rester à la maison pour pouvoir l'observer, seulement c'était impossible. Maman sait toujours quand je simule une maladie : on ne la lui fait pas.

La journée m'a semblé durer une éternité. Même les récrés et l'heure du déjeuner ont passé trop lentement à mon goût. J'ai essayé de jouer au foot mais le cœur n'y était pas. En cours, je n'arrivais pas à me concentrer. Je me trompais tout le temps dans mes réponses, même à des questions faciles.

Lorsque la cloche a enfin sonné, je me suis précipité à la maison, puis dans ma chambre.

Madame Octa, dans sa cage, était à l'endroit exact où je l'avais laissée. Je redoutais à moitié qu'elle soit morte. Heureusement, je voyais qu'elle respirait. C'est alors que j'ai compris : elle attendait qu'on la nourrisse. J'avais déjà vu des araignées faire ça. Elles pouvaient rester des heures sans bouger, à attendre qu'on apporte leur prochain repas.

Je n'étais pas trop sûr de ce que je devais lui donner, mais j'imaginais que ça ne devait pas être super différent de ce que mangeaient les araignées ordinaires. J'ai couru au jardin en attrapant au passage un pot de confiture vide dans la cuisine.

Ramasser deux mouches mortes, quelques insectes et un long vers vigoureux ne m'a pas pris longtemps. Tout de suite après, je me suis dépêché de rentrer, le pot de confiture caché sous mon tee-shirt afin que Maman ne me pose pas de questions.

Dans ma chambre, j'ai fermé la porte et l'ai calée avec une chaise pour empêcher qu'on rentre. Ensuite, j'ai posé la cage de Madame Octa sur mon lit et retiré le bout de tissu.

L'araignée a plissé des yeux et s'est tapie face à cette soudaine explosion de lumière. Sur le point d'ouvrir la porte de la cage pour y jeter la nourriture, je me suis souvenu que Madame Octa était une araignée très venimeuse, capable de me tuer en deux morsures seulement.

À la place, j'ai donc approché le bocal de la cage, saisi un des insectes vivants et l'ai lâché dedans. Il a atterri sur le dos. Ses pattes battaient l'air. Finalement, il a réussi à rouler sur son ventre. Il s'est mis à ramper à la recherche d'une issue, mais n'est pas allé bien loin.

Dès que l'insecte a bougé, Madame Octa a bondi sur lui, passant du stade du cocon immobile à celui de chasseur prêt à enfoncer ses crochets dans sa proie.

Rapidement, elle a avalé l'insecte. Avec une araignée normale, ç'aurait suffi pour un jour ou deux, mais pour Madame Octa, il ne s'agissait que d'une mise en bouche. Elle est retournée se placer où elle était avant et m'a fixé l'air de dire : « OK, c'était pas mal. Où est le plat principal maintenant ? »

Je lui ai donné tout le contenu du bocal. Le vers s'est bien débattu en se tortillant désespérément. Malheureusement pour lui, Madame Octa a sorti ses crochets et les lui a plantés dedans pour le couper en deux puis en quatre. De tout ce qu'elle a mangé, c'est ce qu'elle a semblé préférer.

Soudain, il m'est venu une idée. J'ai sorti mon journal de sous mon lit. C'est le truc auquel je tiens le plus. Sans lui, je n'aurais pu écrire ce livre. J'ai beau ne rien avoir oublié de l'histoire, au moindre doute, il me suffit d'ouvrir mon journal et de relire les pages nécessaires.

J'ai ouvert le cahier à la dernière page et inscrit tout ce que je savais sur Madame Octa : ce que Mr Crepsley en avait dit, les numéros qu'elle faisait, ce qu'elle aimait manger. J'ai mis une croix après les aliments qu'elle aimait bien et deux croix après ceux qu'elle adorait (jusqu'à présent, le vers uniquement). Ainsi, je pourrais séparer d'un côté la nourriture ordinaire, de l'autre, les choses qu'elle préférait et qu'il fallait lui donner quand je voudrais qu'elle accomplisse un numéro pour moi.

Après, je suis allé fouiller dans le frigo et j'ai rapporté du fromage, du jambon, de la salade et du rosbif. Elle a tout mangé. Visiblement, le simple fait de nourrir cette vilaine créature allait me tenir occupé un bon moment !

La nuit fut atroce. J'essayais d'imaginer comment Mr Crepsley réagirait en voyant que son araignée avait disparu et en découvrant mon mot. Quitterait-il la ville comme je l'avais exigé ou partirait-il à la recherche de sa fidèle compagne ? Étant donné que Madame Octa et lui pouvaient communiquer par télépathie, peut-être serait-il capable de remonter sa trace jusqu'*ici* !?

J'ai passé des heures, assis dans mon lit, une croix pressée contre la poitrine. Difficile de savoir si ça marcherait. Dans les films, c'était le cas, mais je me rappelais une conversation avec Steve dans laquelle il m'avait expliqué qu'une croix seule ne suffisait pas. Il m'avait raconté que les croix ne protégeaient que les âmes pures.

Vers deux heures, j'ai fini par m'endormir. Si Mr Crepsley était venu, il m'aurait trouvé sans défense. Par chance, le lendemain matin au réveil, il n'y avait aucune trace du vampire et Madame Octa dormait toujours dans le placard.

Soulagé, j'ai passé une bien meilleure journée le mercredi. Surtout quand, après l'école, j'ai fait un détour par le théâtre et constaté que le Cirque du Freak avait plié bagage. Les voitures et les caravanes avaient disparu. Il ne restait plus aucun signe de la troupe ambulante.

Hourra ! Madame Octa était à moi !

Pour fêter la nouvelle, j'ai acheté une pizza jambon-pepperoni. Maman et Papa ont voulu savoir en quel honneur j'avais rapporté ce repas. Je leur ai simplement répondu que j'avais envie de manger autre chose que d'habitude.

Après avoir reçu tous les deux une part ainsi qu'Annie, ils n'ont plus posé de questions.

J'ai donné les restes à Madame Octa. Elle a parcouru sa cage en long, en large et en travers à la recherche de la moindre miette oubliée. Dans mon journal, j'ai noté : « Pour les occasions spéciales : pizza ! »

Les jours suivants, j'ai veillé à ce qu'elle s'habitue à sa nouvelle maison. Je ne la laissais pas sortir de sa cage. En revanche, je promenais celle-ci dans ma chambre afin qu'elle puisse l'étudier sous tous les angles. La dernière chose que je voulais, c'était que Madame Octa soit nerveuse quand je la laisserais en liberté.

Je lui parlais tout le temps. De moi, de ma famille. Je lui disais à quel point je l'admirais, lui racontais quelle nourriture je lui rapporterai et quel genre de numéros je voulais qu'on s'entraîne à faire. Elle ne comprenait peut-être pas tout en réalité, mais elle en avait l'air.

Le jeudi et le vendredi, je suis allé à la bibliothèque en sortant de l'école et j'ai lu tout ce que j'ai trouvé sur les araignées. Il y avait plein de choses que je ne savais pas. Comme le fait qu'elles peuvent avoir jusqu'à huit yeux. Et aussi que le fil avec lequel elles tissent leur toile est en fait un liquide gluant qui se solidifie au contact de l'air. Aucun des livres, en revanche, ne mentionnait d'araignée savante ou dotée de pouvoirs télépathiques. Je n'ai pas non plus trouvé de photo d'araignée qui ressemblait à Madame Octa. Visiblement, aucun des auteurs de ces ouvrages n'avait rencontré de spécimen semblable. Ce qui la rendait plus unique encore !

Le samedi après-midi, j'ai décidé que le moment était venu de la faire sortir de sa cage pour répéter quelques numéros. Je m'étais entraîné à jouer à la flûte deux ou trois petits morceaux faciles. Le plus dur serait de faire passer des messages à l'araignée par la pensée tandis que je jouais. Pourtant, je m'en sentais capable.

J'ai fermé ma porte et tiré les rideaux. Papa travaillait et Maman était allée faire des courses avec Annie. De cette façon, si ça tournait mal, ce serait entièrement ma faute et je paierais seul les pots cassés.

J'ai placé la cage au milieu de ma chambre. Madame Octa n'avait pas mangé depuis la veille au soir. Le ventre plein, je m'étais dit qu'elle risquait de ne pas vouloir répéter avec moi. Les animaux, c'est comme les hommes : ça peut être paresseux parfois.

D'abord, j'ai soulevé le tissu, puis j'ai positionné le bec de la flûte dans ma bouche, tourné la clé et ouvert la minuscule porte de la cage. J'ai reculé et me suis accroupi le plus bas possible afin qu'elle puisse me voir.

Pendant tout un temps, l'araignée n'a pas bougé. Ensuite, elle a rampé jusqu'à la porte où elle a marqué une pause et humé l'air. Elle paraissait trop grosse pour pouvoir passer par l'ouverture. « J'ai dû lui donner trop à manger », ai-je subitement songé. Mais finalement, elle a quand même réussi à se glisser par la porte pour sortir.

Elle s'est assise sur la moquette, devant la cage. Son gros ventre se soulevait lorsqu'elle respirait. J'avais imaginé qu'elle irait inspecter la pièce, mais elle semblait s'en contreficher.

Ce qui l'intéressait, c'était *moi* ! Elle ne me quittait pas des yeux.

J'ai dégluti avec peine. Je ne voulais pas qu'elle sente que j'avais peur ; j'ai pris sur moi pour ne pas trembler ni crier.

Tandis que je l'observais, la flûte a glissé de deux ou trois centimètres sous mes doigts. Heureusement, je l'ai gardée en main. Il était grand temps de jouer. J'ai donc positionné l'instrument entre mes lèvres et me suis préparé à souffler.

C'est alors qu'elle a bougé. D'un bond de géant, elle s'est jetée en avant – mâchoires ouvertes, crochets sortis, pattes velues en mouvement – en plein… sur mon visage sans défense !

19.

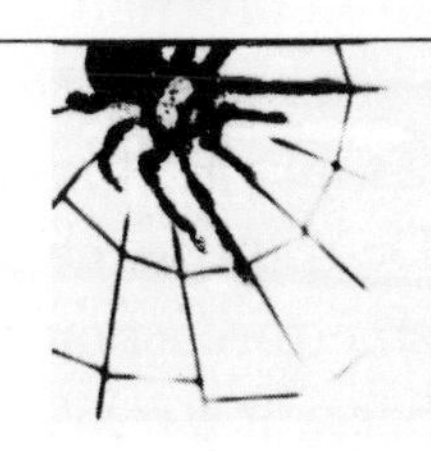

Si elle avait atterri sur moi, elle aurait planté ses crochets dans ma chair et je serais mort sur le coup. Seulement, la chance était avec moi ce jour-là et, au lieu d'atterrir sur mon visage, elle a rebondi violemment contre la flûte.

Elle a heurté le sol en boule. Sonnée, elle est restée immobile un court instant. Immédiatement, je me suis mis à jouer comme un forcené. Malgré ma bouche sèche, je soufflais dans l'instrument tant que je pouvais, n'osant pas m'interrompre une seule seconde pour m'humecter les lèvres.

En entendant la musique, Madame Octa a penché la tête sur le côté. Elle s'est remise debout, puis elle a titubé comme si elle était saoule. Très vite, j'ai repris ma respiration et entamé un autre air, plus lent cette fois-ci, histoire de reposer mes doigts et mes poumons.

— Bonjour, Madame Octa, l'ai-je saluée dans ma tête, concentré, les yeux fermés. Je m'appelle Darren Shan. Je te l'ai déjà dit mais je ne sais pas si tu as entendu. Je ne sais même pas si tu m'entends d'ailleurs.

— Je suis ton nouveau propriétaire. Je vais te chouchouter. Tu auras des tas d'insectes et de la viande fraîche. À condition que tu sois sage et que tu fasses tout ce que je te dis, à commencer par ne plus me sauter dessus.

Immobile, elle me fixait. Difficile de savoir si elle m'écoutait ou si elle préparait sa prochaine offensive.

— Maintenant, je veux que tu te mettes sur tes pattes arrière et que tu fasses une petite révérence.

Elle n'a pas réagi. Du coup, je me suis remis à jouer de la flûte tout en lui transmettant à nouveau mes pensées, de la requête à l'ordre en passant par la supplication. Pour finir, lorsque j'ai pratiquement été à bout de souffle, elle s'est levée sur ses pattes arrière comme je le lui avais demandé. Après, elle a salué et s'est détendue dans l'attente de l'ordre suivant.

Madame Octa m'obéissait !

Je lui ai ensuite commandé de ramper jusqu'à sa cage. Elle m'a obéi dès la première fois. Dès qu'elle a été à l'intérieur, j'ai fermé la porte et me suis laissé tomber sur les fesses en lâchant la flûte.

Les boules quand elle avait bondi sur moi ! Mon cœur battait la chamade. À croire qu'il allait sortir de ma poitrine. Les yeux rivés sur l'araignée, je suis resté allongé par terre un bon moment à réfléchir, mesurant que j'étais passé à un cheveu de la mort.

Ça aurait dû me suffire comme avertissement. N'importe quelle personne saine d'esprit aurait laissé la porte fermée et renoncé à jouer avec un animal aussi dangereux. Mortel même. Et si elle n'avait pas atterri sur la flûte ? Ma mère serait rentrée à la maison et m'aurait trouvé mort. Alors, l'araignée s'en serait peut-être prise à elle ou à Papa ou à Annie. Il fallait vraiment être le dernier des crétins pour reprendre un risque pareil.

Le dernier des crétins ? C'est moi ! Darren Shan.

Aussi délirant que ça puisse paraître, je n'y pouvais rien :

c'était plus fort que moi. De plus, je ne voyais pas l'intérêt d'avoir volé Madame Octa, si c'était pour la laisser enfermée vingt-quatre heures sur vingt-quatre dans sa stupide cage.

La fois suivante, cependant, je l'ai joué un peu plus finement. J'ai déverrouillé la porte mais sans l'ouvrir. À la place, j'ai commencé à jouer et dit à l'araignée de l'ouvrir elle-même. Elle s'est exécutée et, une fois sortie, s'est montrée aussi douce qu'un agneau, parfaitement docile quand je lui donnais un ordre.

Je lui ai fait faire plein d'acrobaties. Sauter dans toute la chambre comme un kangourou. S'accrocher au plafond et faire des dessins avec ses toiles. Soulever des altères (alias un crayon, une boîte d'allumettes et une bille). Après, je lui ai ordonné de s'asseoir dans une de mes voitures télécommandées. J'ai allumé celle-ci. C'était trop cool : on aurait dit que Madame Octa conduisait ! J'ai fait s'écraser la voiture contre une pile de livres mais commandé à l'araignée de sauter au dernier moment pour qu'elle ne soit pas blessée.

J'ai joué avec elle une heure et j'aurais bien continué toute l'après-midi, mais j'ai entendu Maman rentrer et je savais qu'elle trouverait ça bizarre que je reste enfermé toute la journée dans ma chambre. Je ne voulais surtout pas qu'elle ou Papa viennent fouiller dans mes affaires.

Par conséquent, j'ai remis Madame Octa dans le placard et descendu l'escalier quatre à quatre, essayant de paraître le plus naturel du monde.

— Tu écoutais un CD ? m'a demandé ma mère.

Elle et Annie étaient en train de vider quatre sacs pleins de vêtements sur la table de la cuisine.

— Non.

— Je croyais avoir entendu de la musique.

— Je jouais de la flûte, ai-je dit sur un ton décontracté.

Elle s'est aussitôt interrompue.

— De la flûte ? Toi ?

— Je sais jouer. Je te rappelle que c'est toi qui m'as appris quand j'avais cinq ans.

— Je sais. (Elle a rigolé.) Je me souviens aussi que l'année d'après, tu m'as dit que les flûtes, c'était pour les filles. Tu as juré que tu n'en toucherais plus jamais une de ta vie !

J'ai haussé les épaules comme pour dire : « Je ne vois pas où est le problème. »

— J'ai changé d'avis. J'ai trouvé une flûte en rentrant de l'école hier. Je voulais voir si je pouvais encore jouer.

— Où est-ce que tu l'as trouvée ?

— Par terre.

— J'espère que tu l'as lavée avant de la mettre dans ta bouche. Va savoir où elle a traîné.

— Oui, je l'ai lavée, ai-je menti.

— C'est une excellente nouvelle !

Elle a souri, m'a ébouriffé les cheveux et m'a collé un gros bisou mouillé sur la joue.

— Hé ! Arrête !

— On va faire de toi un Mozart bis. Je vois d'ici le tableau : toi dans une magnifique chemise blanche, au piano dans une immense salle de concert, ton père et moi assis au premier rang...

— Redescends sur terre, M'man ! C'est juste une flûte.

— Petit artiste deviendra grand, a commenté ma mère et Annie s'est mise à glousser.

Je lui ai tiré la langue.

Les jours suivants, je me suis amusé comme un fou. À la

moindre occasion, je jouais avec Madame Octa. Elle mangeait une fois par jour, l'après-midi. Un gros repas. Je ne devais pas me prendre la tête pour fermer ma chambre à clé car mes parents avaient promis qu'ils ne me dérangeraient pas pendant mes répétitions de musique.

J'avais envisagé de tout raconter à Annie à propos de l'araignée, mais finalement décidé d'attendre encore un peu. Madame Octa et moi, on s'entendait bien ; n'empêche, ça se voyait qu'elle n'était pas complètement à l'aise en ma présence. Je ne voulais pas faire entrer ma petite sœur dans ma chambre à moins d'être certain qu'il n'y ait plus de danger.

J'ai eu de bonnes notes à l'école, la semaine qui a suivi. Sur le terrain, je battais également tous mes records. Entre le lundi et le vendredi, j'avais réussi à marquer vingt-huit buts. Même Mr Dalton était impressionné.

— Avec tes résultats scolaires et tes prouesses sportives, tu pourrais devenir le tout premier joueur professionnel à exercer le métier de professeur d'université en même temps. Un croisement entre Pelé et Einstein !

C'était clair qu'il me faisait marcher. N'empêche, c'était vachement gentil de sa part de dire un truc pareil.

Il m'a fallu du temps avant d'avoir le cran de laisser Madame Octa grimper sur moi et jusque sur mon visage. Le vendredi après-midi pourtant, j'ai enfin tenté le coup. J'ai joué l'air que je connaissais le mieux et donné plusieurs fois de suite les consignes à l'araignée. Ensuite, seulement, je l'ai laissée entrer en action. Quand j'ai eu la sensation que nous étions tous les deux prêts, je lui ai fait signe de la tête et elle a commencé à remonter le long de ma jambe de pantalon.

Jusqu'à ce qu'elle arrive à mon cou, aucun problème. Mais là, sentir ses pattes velues, minces et longues, sur ma peau, ça m'a fait flipper. J'ai même failli lâcher la flûte ; la dernière chose à faire étant donné que c'était l'endroit rêvé pour que l'araignée m'enfonce ses crochets dans la chair. Par chance, j'ai tenu bon et continué à jouer.

Elle a contourné mon oreille gauche et rejoint le haut de mon crâne où elle s'est reposée un instant. Ça me démangeait la tête. Par miracle, j'ai eu suffisamment de bon sens pour ne pas me gratter. Je me suis regardé dans le miroir et j'ai souri : Madame Octa ressemblait à un béret.

Je lui ai ordonné de redescendre sur mon visage et de se laisser pendre à mon nez grâce à une de ses toiles. Je ne l'ai pas laissée entrer dans ma bouche, préférant la faire se balancer d'un côté puis de l'autre à la manière de Mr Crepsley, et me chatouiller le menton avec ses pattes.

Je n'ai pas voulu qu'elle me chatouille trop longtemps, de peur de rigoler et laisser tomber la flûte.

Au moment de la remettre dans sa cage, le vendredi soir, je me sentais tout-puissant. Comme si rien ne pouvait plus m'arriver. Comme si ma vie s'annonçait parfaite. Je m'en sortais très bien en cours et en foot. J'avais en ma possession un animal que n'importe quel garçon rêverait d'échanger contre tout au monde. Je n'aurais été plus heureux si j'avais gagné au loto ou hérité d'une chocolaterie.

Bien entendu, c'est à partir de ce moment précis que les choses ont mal tourné.

20.

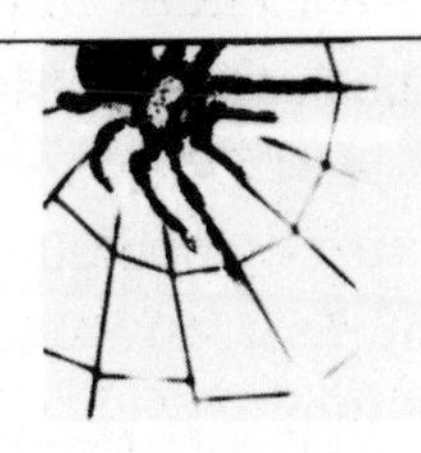

Steve m'a rendu visite à l'improviste le samedi, en fin de journée. On ne s'était pratiquement pas adressé la parole de toute la semaine, alors c'était la dernière personne que je m'attendais à voir arriver. Maman l'a fait entrer et m'a dit de descendre. À mi-hauteur, dans l'escalier, je l'ai aperçu. Aussitôt, je me suis arrêté et lui ai crié de venir me rejoindre.

Dans ma chambre, il a jeté des regards partout comme s'il n'y avait plus mis les pieds depuis des mois.

— J'avais presque oublié à quoi ressemblait ta piaule.

— Qu'est-ce que tu racontes ? T'es venu il y a une ou deux semaines maximum.

— On dirait que ça fait plus longtemps.

Il s'est assis sur mon lit et m'a dévisagé. Son visage était grave, fermé.

— Pourquoi tu m'évites en ce moment ?

— De quoi tu parles ?

— Depuis deux semaines, tu me fuis. Au début, je n'ai rien remarqué, mais plus ça va et moins tu passes de temps avec moi. Et jeudi, en cours de gym, tu ne m'as même pas choisi pour être dans ton équipe de basket.

— Tu n'es pas très bon en basket.

Plutôt nulle comme excuse. Dommage, c'est ce que j'avais trouvé de mieux.

— Je n'ai d'abord pas compris. Mais après, ça a fait tilt. Tu ne t'es pas perdu le soir du spectacle, pas vrai ? Tu es resté au théâtre et tu t'es planqué quelque part. Sur le balcon, probablement. Et là, tu as vu tout ce qui s'est passé entre Vur Horston et moi.

— Pas du tout !

— Ah non ?

— Non !

— Tu n'as rien vu ?

— Non.

— Tu ne m'as pas entendu parler à Vur Horston ?

— Pour la troisième fois : NON !

— Tu n'as pas… ?

— Écoute, Steve, l'ai-je interrompu, ce qui s'est passé entre toi et Mr Crepsley, ça te regarde. Je n'étais pas là. Je n'ai rien vu. Je ne sais pas de quoi tu parles. Maintenant, si…

— Arrête de mentir, Darren.

— Je ne mens pas !

— Alors comment savais-tu que je parlais de Mr Crepsley ?

— Parce que…

Je me suis mordu la langue.

— J'ai dit que j'avais parlé à Vur Horston. (Steve a souri.) À moins d'avoir été là, comment aurais-tu pu savoir que Vur Horston et Larten Crepsley sont une seule et même personne ?

Mes épaules se sont affaissées. Assis au côté de Steve sur le lit, j'ai finalement avoué.

— D'accord. J'étais caché sur le balcon.

— Qu'est-ce que tu as entendu ?

— Tout. D'où j'étais, je ne pouvais pas voir Mr Crepsley au moment où il te suçait le sang ni entendre ce qu'il disait, mais à part ça...

— Tout... a soupiré Steve. C'est pour ça que tu m'évitais ? Parce qu'il a dit que j'étais démoniaque.

— En partie, oui. Mais c'est surtout à cause de ce que tu as dit toi. Steve, tu lui as demandé de te transformer en vampire ! Et s'il l'avait fait et que tu t'en étais pris à moi ? La plupart des vampires s'en prennent d'abord à leurs proches, n'est-ce pas ?

— Dans les livres et les films, oui. Ici, c'est différent. C'est la réalité. Je ne t'aurais pas fait de mal, Darren.

— Peut-être que non. Mais peut-être que si. La vérité, c'est que je préfère ne pas savoir. Je ne veux plus qu'on soit amis. Tu es dangereux. Imaginons que tu rencontres un autre vampire qui exauce ton vœu. Et si ce qu'a dit Mr Crepsley est vrai...

— Je ne suis pas démoniaque ! s'est écrié Steve en me poussant sur le lit. (Il a bondi sur ma poitrine et m'a enfoncé ses doigts dans la figure.) Retire ça tout de suite. Sinon, je te jure que je t'arrache la tête et...

— OK, je n'ai rien dit, je n'ai rien dit !

Steve, sur ma poitrine, pesait lourd. Son visage était rouge, déformé par la colère. J'aurais dit n'importe quoi pour qu'il me lâche.

Il est resté à cheval sur moi encore quelques secondes avant de rouler sur le côté. Je me suis redressé, le souffle court, frottant mon visage.

— Désolé, s'est-il excusé. J'y suis allé un peu fort. Mais

j'ai les boules ! C'est pas cool, ce que Crepsley a dit. Et puis toi qui m'ignores à l'école. T'es mon meilleur pote, Darren. La seule personne à qui je peux faire confiance. Si tu ne veux plus être ami avec moi, je ne sais pas ce que je vais faire.

Il s'est mis à pleurer. Je l'ai observé un instant, tiraillé entre la peur et la compassion. Pour finir, mon côté le plus noble a pris le dessus et j'ai passé un bras autour de son épaule.

— C'est bon. Je suis toujours ton copain. Allez, Steve, arrête de pleurer, OK ?

— Je dois vraiment avoir l'air d'un con, a-t-il reniflé après un long moment.

— Non. C'est moi l'imbécile. J'aurais dû te soutenir. J'ai été lâche. Pas une seconde, je ne me suis mis à ta place. Je n'ai pensé qu'à moi-même et à Madame...

J'ai fait la grimace et me suis tu aussitôt.

— Qu'est-ce que tu allais dire ?

Steve me dévisageait avec curiosité.

— Rien. Ma langue a fourché.

Il a poussé un grognement.

— Tu ne sais pas mentir, Shan. Finis ta phrase.

J'examinais son visage, hésitant à lui raconter. Je savais pertinemment que ce n'était pas une bonne idée, que ça ne pourrait que m'attirer des ennuis. D'un autre côté, il me faisait de la peine. En plus, j'avais besoin d'en parler à quelqu'un. Enfin, je brûlais d'envie de montrer l'incroyable animal que j'avais apprivoisé ainsi que nos numéros.

— Tu peux garder un secret ?

— À ton avis !?

— C'est vachement important. Ça doit rester entre toi et moi, promis ? Si jamais tu le répètes…

— Tu n'auras qu'à vendre la mèche pour Crepsley et moi, a terminé Steve en souriant de toutes ses dents. Tu me tiens ! Quel que soit ton secret, tu sais pertinemment que je ne peux pas le répéter, même si je voulais. Vas-y, accouche !

— Attends une minute.

Je me suis levé du lit et j'ai ouvert la porte de ma chambre.

— Maman ? l'ai-je appelée tout fort.

— Oui ? s'est élevée sa voix sourde.

— Je vais faire une démonstration de flûte à Steve. Il veut que je lui apprenne à jouer, mais à condition qu'on ne nous dérange pas, OK ?

— D'accord, a-t-elle crié.

J'ai refermé la porte et souri à mon pote. Il semblait perplexe.

— Une flûte ? C'est *ça*, ton grand secret ?

— Pas seulement. Tu te souviens de Madame Octa ? L'araignée de Mr Crepsley ?

— Évidemment. Je n'y ai pas beaucoup fait attention quand elle était sur scène, mais ce n'est pas le genre de bête qu'on oublie. Je vois encore ses pattes velues ! Brrrr !

Tandis qu'il parlait, j'ai ouvert la porte du placard et sorti la cage. En la voyant, il a plissé les yeux puis les a écarquillés.

— Ce n'est pas ce que je crois ?

— Ça dépend. Qu'est-ce que tu crois ? ai-je lancé en arrachant tout à coup l'étoffe. Si tu penses qu'il s'agit d'une araignée savante et mortelle, alors tu as raison.

— La vache ! (Il a manqué tomber du lit.) C'est… Elle est… Où est-ce que… ? Ouah !

Sa réaction m'enchantait. Debout, près de la cage, je souriais avec la fierté d'un père. Madame Octa, étendue sur le sol, toujours aussi calme, ne s'intéressait ni à Steve, ni à moi.

— Elle est super ! s'est exclamé ce dernier pendant qu'il se rapprochait de la cage pour mieux voir. On dirait celle du cirque. C'est incroyable que tu aies réussi à en trouver une pareille. Où tu l'as eue ? Dans une animalerie ? Au zoo ?

Mon sourire a disparu.

— Je l'ai eue au Cirque du Freak, évidemment ! ai-je lâché, gêné.

— Au théâtre ? a-t-il relevé, le nez froncé. Ils vendaient des araignées vivantes ? Je ne les ai pas vues. Combien elle t'a coûté ?

J'ai secoué la tête.

— Je ne l'ai pas achetée, Steve. J'ai… Tu n'as pas encore compris ?

— Compris quoi ?

— Ce n'est pas une araignée pareille. C'est la même. Madame Octa.

Il m'a fixé comme s'il n'avait pas entendu. J'étais sur le point de répéter quand il m'a coupé dans mon élan.

— La… même ? a tremblé sa voix.

— Oui.

— Tu veux dire que c'est Madame Octa ? *La* Madame Octa ?

— La seule l'unique, ai-je ri de son étonnement.

— C'est l'araignée de… Mr Crepsley ?

— Steve, quel est le problème ? Combien de fois va-t-il falloir que je répète pour que tu...

— Attends un peu. Si c'est vraiment Madame Octa, comment as-tu fait pour mettre la main dessus ? Tu l'as trouvée dehors ? Ils te l'ont vendue ?

— Il faudrait être fou pour vendre une araignée aussi géniale.

— C'est bien ce que je pensais. Alors comment...

La question est restée en suspens.

— Je l'ai volée, me suis-je vanté fièrement. Je suis retourné au théâtre en douce, le mardi matin après le spectacle. J'ai laissé un mot à Mr Crepsley lui disant de ne pas rechercher Madame Octa sinon je le dénoncerais à la police et je suis parti avec elle.

— Tu... tu... a haleté Steve.

Son visage était devenu tout blanc. On aurait dit qu'il allait s'évanouir.

— Ça va ? lui ai-je demandé.

— T'es complètement malade ! a-t-il rugi.

— Hééé !

— Pauvre type ! Tu te rends compte de ce que tu as fait ? T'es dedans jusqu'au cou maintenant.

— Han ?

— T'as piqué l'araignée d'un vampire ! Un vam-pire ! Qu'est-ce que tu crois qu'il va faire une fois qu'il t'aura retrouvé, Darren ? Te gronder ? Te mettre une raclée ? Cafter à tes parents pour que tu sois privé de sorties ? On parle d'un vampire, là ! Il va t'égorger, te couper en petits morceaux et les filer à l'araignée en guise de déjeuner !

— Il ne fera pas ça, l'ai-je contredit calmement.

— On parie combien ?

— Tu te trompes, je te dis. Il ne me retrouvera jamais. J'ai volé l'araignée la veille de la dernière représentation. Ça signifie qu'il a eu deux semaines entières pour retrouver ma trace. Seulement, depuis, aucun signe de lui. Il est parti avec le cirque et ne reviendra pas : il sait que ça vaut mieux pour lui.

— J'sais pas... Les vampires n'oublient jamais. Il est capable d'attendre que tu aies grandi et que tu sois père de famille.

— On verra ça plus tard. Ya le temps. Pour l'instant, il ne sait pas où me trouver. Je ne croyais pas que j'y arriverais. J'avais imaginé qu'il me rattraperait et me tuerait, mais non. Alors, arrête de m'insulter, OK ?

— Toi, alors !!! a-t-il rigolé, l'air incrédule. Et moi qui pensais que j'avais du culot ! Voler la propriété d'un vampire ! Je n'aurais jamais cru ça de toi. Comment t'as fait ?

— C'était plus fort que moi : il me la fallait. Quand je l'ai vue sur scène, je me suis dit que je ferais n'importe quoi pour qu'elle soit à moi. Après, j'ai découvert que Mr Crepsley était un vampire et j'ai eu l'idée de le faire chanter. Ce n'est pas bien, je sais, mais c'est un vampire, alors ce n'est pas aussi grave que si j'avais volé quelqu'un de bien, si ?

Steve s'est esclaffé.

— Je n'en sais rien. Tout ce que je sais, c'est que si jamais un jour, il t'attrape, je n'aimerais pas être à ta place.

À nouveau, il a jeté un coup d'œil à l'araignée. Le visage collé à la cage (mais pas près au point qu'elle puisse l'attaquer), il observait son ventre se soulever à chacune de ses respirations.

— Tu l'as déjà laissée sortir ?

— Tous les jours, lui ai-je répondu.

J'ai saisi la flûte et soufflé un petit coup dedans. Madame Octa a bondi sur quelques centimètres. Steve a glapi et il est tombé sur les fesses, ce qui m'a fait hurler de rire.

— Tu l'as apprivoisée ?

— J'arrive à lui faire faire pareil que Mr Crepsley, ai-je raconté en m'efforçant de ne pas paraître trop prétentieux. C'est vachement facile. Tant que tu restes concentré, elle est inoffensive. Par contre, si tu laisses tes pensées vagabonder ne serait-ce qu'une seconde...

J'ai passé un doigt devant ma gorge et imité le bruit de quelqu'un qui s'étouffe.

— Tu lui as fait tisser une toile sur ta bouche ? a voulu savoir Steve, les yeux qui pétillaient.

— Pas encore. J'ai trop les boules qu'elle descende au fond de ma gorge. En plus, j'aurais besoin de quelqu'un pour la contrôler pendant qu'elle fabrique sa toile et jusqu'à présent, j'ai toujours été seul avec elle.

— Jusqu'à présent, a souri mon copain. Mais plus maintenant.

Il s'est relevé et a tapé dans ses mains.

— Allons-y ! Montre-moi comment me servir de ce pipeau-là et laisse-moi me charger d'elle. Je n'ai pas peur qu'elle entre dans ma bouche. Allez, vas-y ! On le fait ! Allez, allez, allez !!!

Comment aurais-je pu résister à un enthousiasme aussi débordant ? C'était risqué d'impliquer Steve dans un numéro si tôt, j'en étais conscient. J'aurais dû veiller à ce qu'il se familiarise avec elle d'abord. Seulement, j'ai oublié le bon sens et cédé.

Je lui ai expliqué qu'il ne pouvait pas jouer de la flûte, pas avant d'avoir répété, mais qu'il pouvait s'amuser avec

Madame Octa tant qu'elle était sous mon contrôle. Je lui ai fait un rapide topo sur les tours qu'on allait réaliser, m'assurant qu'il avait bien tout pigé.

— Le silence, c'est la clé, ai-je raconté. Pas un mot, OK ? Pas même un sifflement. Parce que si tu me déconcentres et que je perds son contrôle...

— Je sais, je sais, a soupiré Steve. T'inquiète ! Je peux être muet comme une tombe quand je veux.

Lorsqu'il a été prêt, j'ai ouvert la cage de Madame Octa et commencé à jouer. À mon commandement, elle a avancé. J'ai entendu Steve prendre lentement une longue inspiration. Il semblait un peu stressé depuis que l'araignée était en liberté. Cela dit, il n'a montré aucun signe indiquant qu'il voulait arrêter, alors j'ai continué à jouer et démarré le numéro.

Je lui ai commandé de faire beaucoup de choses toute seule avant de la laisser s'approcher de Steve. La semaine précédente, elle et moi étions vraiment parvenus à bien nous comprendre. L'araignée s'était habituée à ma façon de penser et, souvent, elle anticipait même mes ordres. De mon côté, j'avais appris que de très courtes instructions – deux ou trois mots seulement – suffisaient à la faire s'exécuter.

Steve a regardé notre numéro dans le silence le plus complet. À quelques reprises, il a failli taper dans ses mains, mais s'est retenu au dernier moment, juste avant que ses paumes claquent l'une contre l'autre. Au lieu de frapper des mains, il levait son pouce à mon intention et articulait en silence « super », « excellent », « génial », « bravo », etc.

Le moment venu pour lui de participer au numéro, je lui ai fait signe comme prévu. Il a dégluti, inspiré profondément et hoché la tête à son tour. Il s'est alors levé et approché mais en restant sur le côté pour ne pas me boucher la vue. Ensuite, il s'est mis à genoux et il a attendu.

J'ai joué un autre air et envoyé de nouveaux ordres à Madame Octa. Assise sans bouger, elle m'a écouté. Dès qu'elle a su ce que je voulais, elle a rampé vers Steve qui, tremblant, s'est humecté les lèvres. J'étais à deux doigts d'annuler le numéro et de renvoyer l'araignée dans sa cage quand mon copain, soudain calmé, a cessé de trembler.

Il a eu un léger frisson lorsque Madame Octa s'est mise à remonter la jambe de son pantalon, mais c'était un réflexe normal. Moi aussi, je frissonnais encore au contact de ses pattes velues sur ma peau.

Docile, l'araignée a remonté la nuque de Steve jusqu'à ses oreilles qu'elle a chatouillées. Ça l'a fait rire doucement et à cet instant, j'ai constaté qu'il n'avait plus peur du tout. Bien plus à l'aise depuis que mon ami s'était détendu, j'ai ordonné à Madame Octa de se déplacer vers son visage où elle a tissé de minuscules toiles sur ses yeux, glissé le long de son nez et sauté de ses lèvres.

Steve était aux anges. Et moi aussi ! Avec un partenaire, je pouvais faire plein de nouveaux tours.

Sur l'épaule droite de celui-ci, l'araignée s'apprêtait à descendre son bras lorsque la porte s'est ouverte et Annie est entrée.

En général, ma sœur n'entre jamais dans ma chambre sans frapper et y avoir été invitée. C'est une gamine super, pas du tout le genre des pestes de son âge. Seulement ce soir-là, manque de chance, elle a choisi de faire irruption sans prévenir.

— Darren, t'as pas vu mon...

En voyant Steve et le monstre qu'il avait sur l'épaule, apparemment prêt à mordre, elle s'est immobilisée et elle a réagi de façon tout à fait naturelle.

En criant.

J'ai paniqué. Tourné la tête. La flûte m'a échappé et j'ai perdu ma concentration, rompant le lien avec Madame Octa. Elle s'est rapprochée en vitesse de la gorge de Steve et, dans une grimace qui ressemblait à un sourire, a découvert ses crochets.

Steve a hurlé de peur et bondi sur ses pieds. Il a donné un coup à l'araignée mais elle l'a esquivé. Avant qu'il puisse recommencer, cette dernière, plus rapide qu'un serpent, a penché la tête et planté ses crochets venimeux bien profond dans son cou !

21.

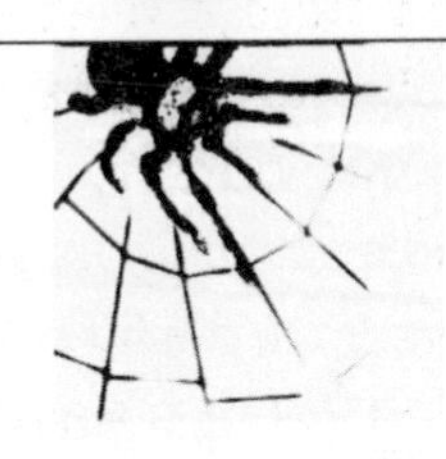

Steve s'est raidi à la seconde où l'araignée l'a mordu. Ses hurlements, aussitôt, se sont interrompus derrière ses lèvres devenues bleues et ses yeux se sont figés, grands ouverts. Pendant ce qui a semblé une éternité (bien que ça n'ait pas pu durer plus de deux ou trois secondes), il a titubé. Ensuite, il s'est écroulé par terre comme une poupée de chiffon.

Sa chute l'a sauvé. De même qu'avec la chèvre au Cirque du Freak, la première morsure de Madame Octa avait mis Steve K.-O., mais ne l'avait pas encore tué. J'ai vu l'araignée bouger dans le cou de mon copain avant qu'il tombe, cherchant le meilleur endroit pour le mordre une seconde fois et l'achever.

Seulement, la chute l'a dérangée. Ayant glissé du cou de Steve, il lui a fallu quelques secondes pour remonter.

Je n'avais pas besoin de plus.

Bien qu'en état de choc, le spectacle de l'arachnide émergeant de derrière l'épaule de Steve tel un lever de soleil fatal m'a ramené à moi. Immédiatement, je me suis penché pour ramasser la flûte et me la suis presque enfoncée au fond de la gorge. Là, j'ai joué la note la plus aiguë de toute ma vie.

— STOP ! ai-je vociféré dans ma tête.

Alors, Madame Octa a effectué un bond sur une cinquantaine de centimètres.

— Retourne dans ta cage ! lui ai-je ordonné.

Et l'araignée a bondi du corps de mon ami puis s'est dépêchée de rejoindre sa maison. À cet instant précis, je me suis précipité sur cette dernière et j'ai claqué la porte.

Madame Octa derrière les barreaux, j'ai reporté mon attention sur Steve. Annie continuait à crier, mais je n'avais pas le temps de m'en occuper. La priorité, c'était de voir comment mon copain allait.

— Steve ? l'ai-je appelé, accroupi près de son oreille. Steve, tu m'entends ?

Aucune réponse. Il respirait, donc je savais qu'il était vivant, mais c'était tout. Visiblement, il ne pouvait rien faire d'autre. Ni parler, ni bouger les bras. Ni même cligner des yeux.

J'ai tout à coup senti Annie, debout, dans mon dos. Elle avait arrêté de crier mais continuait à trembler.

— Est-ce... Est-ce qu'il est... mort ? m'a-t-elle interrogé de sa voix fluette.

— Bien sûr que non ! Tu vois bien qu'il respire. Regarde son ventre et sa poitrine.

— Mais alors pourquoi il ne bouge pas ?

— Il est paralysé. L'araignée lui a injecté un venin qui empêche ses membres de bouger. C'est comme si elle l'avait endormi, sauf qu'il peut tout voir et entendre.

J'ignorais si c'était vrai. Je l'espérais. Si le poison avait laissé intacts le cœur et les poumons, c'était peut-être la même chose pour le cerveau. Par contre, si jamais il avait pénétré le crâne...

C'était trop horrible. Je préférais ne pas y penser.

— Steve, je vais t'aider à te relever. Je pense que si on te bouge, il y a des chances pour que le poison disparaisse.

J'ai passé mes bras autour de la taille de Steve et l'ai hissé debout. Il était lourd. Je l'ai traîné dans ma chambre en agitant ses bras et ses jambes. Tout ce temps, j'ai tenté de le rassurer, lui ai expliqué qu'il n'y avait pas suffisamment de venin dans une morsure pour le tuer.

— Tu vas t'en sortir, je lui promettais.

Passé dix minutes, il n'y avait toujours aucun changement et j'étais trop fatigué pour continuer à le porter. Je l'ai laissé tomber sur mon lit où je l'ai installé confortablement. Les paupières ouvertes, ses yeux me fichaient la trouille, alors je les ai fermées. Seulement, ça lui donnait l'air d'un cadavre. J'ai décidé de les rouvrir.

— Il va s'en remettre, tu crois ? a voulu savoir Annie.

— Aucun doute, me suis-je efforcé de la tranquilliser. Le venin finira par s'en aller et tout ira bien. Ce n'est qu'une question de temps.

Je ne pense pas que ma sœur m'ait cru. Pourtant, elle n'a rien dit. Elle s'est contentée de s'asseoir au bord du lit et a dévisagé Steve, sans bouger. Je me demandais bien pourquoi ma mère n'était pas encore venue voir ce qu'il se passait. À pas de loup, j'ai quitté ma chambre pour aller me poster en haut des escaliers. J'ai tendu l'oreille. Le bruit de la machine à laver me parvenait de la cuisine. Tout s'expliquait : notre vieille machine prend une place dingue et fait un max de bruit. Quand elle marche et qu'on est dans la cuisine, on n'entend rien.

Annie s'était levée du lit lorsque je suis revenu. Par terre, elle étudiait Madame Octa.

— C'est l'araignée du cirque de monstres, pas vrai ?

— Oui.
— Celle qui est mortelle ?
— Han-han.
— Comment tu l'as eue ?
— Peu importe, ai-je répondu, les joues en feu.
— Comment a-t-elle fait pour sortir de sa cage ?
— C'est moi qui l'ai libérée.
— Quoi ???
— Ce n'est pas la première fois. Ça fait presque deux semaines que je l'ai. J'ai beaucoup joué avec elle. Il n'y a aucun risque tant qu'il n'y a pas de bruit. Si tu n'étais pas entrée dans ma chambre comme dans un moulin, elle serait restée…
— Ah non ! a grondé Annie. Pas la peine de m'accuser. Pourquoi tu ne m'en as pas parlé ? Si j'avais su, je ne serais jamais rentrée dans ta chambre comme ça.
— J'allais t'en parler. Mais j'attendais qu'il n'y ait plus du tout de danger. Et puis Steve est arrivé et…
Impossible de continuer.
J'ai remis la cage dans le placard où je ne verrais plus l'araignée. J'ai rejoint ma sœur près du lit et examiné la silhouette figée de Steve. Tous les deux, on est restés là environ une heure.
— Je doute qu'il s'en remette, a finalement sorti Annie.
— Attends encore un peu.
— Je ne crois pas qu'attendre soit la solution, a-t-elle insisté. Il aurait déjà dû faire des progrès à l'heure qu'il est. Bouger un peu.
— Qu'est-ce que tu en sais ? Tu n'es qu'une gamine.
— C'est vrai, a-t-elle reconnu calmement. Mais tu n'as pas l'air d'en savoir plus que moi, n'est-ce pas ?

La mine triste, j'ai répondu non de la tête.

— Arrête de faire semblant, alors, m'a dit ma sœur.

Elle a posé une main sur mon bras et souri pour montrer qu'elle n'essayait pas de me faire culpabiliser.

— Il faut qu'on le dise à Maman, a-t-elle lancé. Il faut l'appeler. Elle saura peut-être quoi faire.

— Et si elle ne sait pas ?

— Alors, il faudra l'emmener à l'hôpital.

Je savais qu'elle avait cent pour cent raison. Seulement, je ne voulais pas l'admettre.

— Patientons encore quinze minutes, ai-je décidé. Si après ça, il n'a toujours pas bougé, on appelle Maman.

— *Quinze* minutes ?

— Pas une de plus.

— D'accord.

On a repris l'observation silencieuse de notre ami. Je réfléchissais à Madame Octa et à ce que j'allais raconter à ma mère. Aux médecins. À la police ! Me croiraient-ils quand je leur dirais que Mr Crepsley était un vampire ? Ça m'étonnerait. Je passerais pour un menteur. Et s'ils me jetaient en prison ? L'araignée était à moi à présent. Je serais tenu pour responsable. Accusé de meurtre et condamné même !

J'ai jeté un œil à ma montre. Plus que trois minutes. Toujours rien de neuf chez Steve.

— Annie, je dois te demander une faveur.

Elle m'a considéré avec méfiance.

— Laquelle ?

— Que tu ne parles pas de Madame Octa.

— Tu es fou !? s'est-elle écriée. Comment tu comptes expliquer ce qui s'est passé alors ?

— Je ne sais pas. Je raconterai que je n'étais pas dans la chambre lorsque c'est arrivé. Les traces de morsure sont minuscules. On dirait des piqûres de guêpe. En plus, elles rétrécissent à vue d'œil. Si ça se trouve, les docteurs ne les remarqueront même pas.

— On ne peut pas faire ça. Ils auront sûrement besoin d'examiner l'araignée, de...

— Annie, si Steve meurt, je serai reconnu coupable, ai-je expliqué. Il y a certaines choses, dans cette histoire, que je ne peux pas te raconter. Ni à toi, ni à personne d'autre. Par contre, ce que je peux te dire, c'est que dans le pire des cas, ça va me retomber dessus. Tu sais ce qu'ils font aux meurtriers ?

— Tu es trop jeune pour être jugé pour meurtre, a avancé Annie avec incertitude.

— Non. Je suis trop jeune pour être incarcéré dans une vraie prison, mais il existe des endroits spéciaux pour les enfants. C'est là qu'on me mettrait jusqu'à mes dix-huit ans et après... S'il te plaît, Annie. (Je me suis mis à pleurer.) Je ne veux pas aller en prison.

Ma sœur s'est mise à pleurer elle aussi. Dans les bras l'un de l'autre, on sanglotait comme des bébés.

— Je ne veux pas qu'ils t'emmènent. Je veux que tu restes ici, avec nous.

— Alors tu me promets de ne rien dire ? Tu veux bien retourner dans ta chambre et faire semblant de n'avoir rien vu ?

Avec tristesse, elle a hoché la tête.

— Sauf si la vérité peut lui sauver la vie, a-t-elle ajouté. Si jamais les docteurs disent qu'ils ne peuvent pas l'aider à moins de savoir ce qui l'a mordu, je raconterai tout. D'accord ?

— D'accord.

Elle s'est levée et dirigée vers la porte. À mi-parcours, elle s'est retournée, est revenue sur ses pas et m'a embrassé sur le front.

— Je t'aime, Darren, mais je ne sais pas ce qui t'a pris de ramener cette araignée à la maison. Et si Steve meurt, ce sera de ta faute.

Juste après, elle s'est dépêchée de quitter la pièce en sanglots.

J'ai patienté quelques minutes, la main de mon copain dans la mienne, priant pour qu'il s'en sorte, qu'il montre un signe de vie. Mes prières restées sans réponse, je suis allé ouvrir la fenêtre (pour expliquer comment le mystérieux attaquant avait pénétré dans ma chambre), j'ai inspiré un grand coup et j'ai dévalé les escaliers en criant « Maman !!! ».

22.

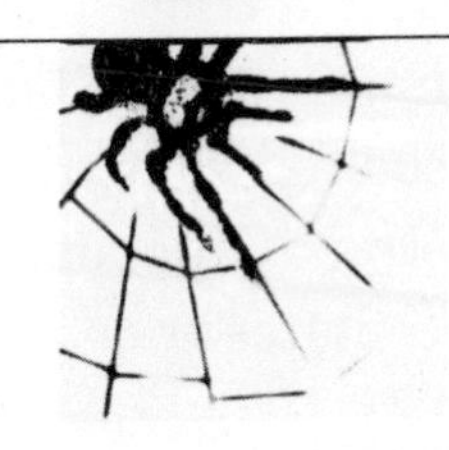

Les ambulanciers ont demandé à ma mère si Steve était diabétique ou épileptique. Elle pensait que non mais n'en était pas certaine. Après, ils l'ont questionnée au sujet de possibles allergies et de trucs dans le style. Maman a expliqué qu'elle n'était pas sa mère et qu'elle n'en savait rien.

J'avais cru qu'on monterait dans l'ambulance, mais selon eux, il n'y avait pas assez de place. Ils ont pris le nom et le numéro de téléphone de madame Leonard. Elle n'était pas chez elle. L'un des ambulanciers a voulu savoir si ma mère accepterait de les suivre à l'hôpital pour remplir un maximum de formulaires pendant que les médecins commençaient leur travail. Bien sûr, Maman a dit oui et nous a installés en vitesse dans la voiture, Annie et moi. Papa n'étant pas encore rentré, elle lui a téléphoné sur son portable pour lui expliquer la situation. Il a prévenu qu'il nous rejoignait tout de suite.

Le trajet jusqu'à l'hôpital a été atroce. Assis à l'arrière, j'évitais le regard de ma sœur. Je savais que j'aurais dû dire la vérité. Seulement, j'avais trop peur. Le pire, c'est que j'étais persuadé qu'à ma place, si ç'avait été moi dans le coma, Steve aurait avoué sur-le-champ.

— Que s'est-il passé au juste ? a interrogé Maman par-dessus son épaule.

Elle conduisait aussi vite que possible en respectant les limitations de vitesse. Par conséquent, elle était incapable de se retourner pour me regarder. Tant mieux car je n'aurais jamais pu soutenir son regard tandis que je lui mentais.

— Je ne sais pas trop. On était en train de discuter et puis je suis allé aux toilettes et quand je suis revenu…

— Tu n'as rien vu ?

— Non, ai-je menti, les oreilles cramoisies de honte.

— Je n'y comprends rien, a repris ma mère. Il était tellement raide. Avec sa peau bleue, on aurait dit qu'il était mort.

— Moi je crois qu'on l'a mordu, est intervenue Annie.

J'ai failli lui donner un coup de coude dans les côtes, mais, au dernier moment, je me suis souvenu que j'avais besoin d'elle pour que mon secret reste bien gardé.

— Mordu ? a relevé Maman.

— Oui, il avait des traces dans le cou.

— Je les ai vues. Mais je doute que ce soit l'explication, ma chérie.

— Pourquoi ça ? Et si un serpent ou… une araignée était entrée dans la maison et l'avait mordu…

Ma sœur m'a jeté un coup d'œil et a légèrement rougi en se rappelant sa promesse.

— Une araignée ? (Notre mère a secoué la tête.) Non, ma puce, par chez nous, les araignées qui se baladent dans la nature n'attaquent pas les gens et ne les mettent pas dans un tel état de choc.

— Qu'est-ce que ça peut être alors ? a insisté Annie.

— Je n'en suis pas sûre. Peut-être qu'il a mangé quelque chose de mauvais ou qui ne lui a pas réussi. À moins que ce ne soit une crise cardiaque.

— Les enfants ne peuvent pas avoir de crise cardiaque, l'a contredite ma sœur.

— Si. C'est rare, mais ça arrive. Quoi qu'il en soit, les médecins trouveront. Ils en savent plus que nous.

N'ayant pas l'habitude des hôpitaux, je suis allé explorer les lieux tandis que Maman remplissait les formulaires. Je n'avais jamais vu autant de blanc : sur les murs, par terre, sur les uniformes du personnel. Il n'y avait pas beaucoup de monde, mais l'endroit était quand même bruyant, entre les bruits de ressors de lit, les malades qui toussaient, le ronron des machines, le murmure des médecins.

Dans la salle d'attente, on n'a pas dit grand-chose. Maman a raconté que Steve avait été admis aux urgences et qu'on l'examinait. Elle a aussi expliqué que ça pouvait prendre du temps avant que les docteurs découvrent le problème.

— Ils semblaient optimistes, a-t-elle ajouté.

Annie avait soif et Maman nous a envoyés, elle et moi, chercher à boire au distributeur automatique, dans le couloir d'à côté. Pendant que j'insérais les pièces, ma sœur a balayé du regard les environs pour s'assurer que personne ne pourrait surprendre notre conversation.

— Tu comptes attendre encore longtemps ? m'a-t-elle lancé.

— Jusqu'à ce que je sache ce qu'ils ont à dire. D'abord, ils doivent l'examiner. Avec de la chance, ils sauront de quel type de venin il s'agit et pourront le soigner eux-mêmes.

— Et s'ils ne peuvent pas ?

— Alors je parlerai, ai-je promis.

— Et s'il meurt avant ? a-t-elle soulevé, tout bas.

— Ça n'arrivera pas.

— Mais si…

— Ça n'arrivera pas ! Arrête de dire des trucs pareils ! Je t'interdis d'y penser même. Il va s'en tirer. Il faut y croire. Papa et Maman nous ont toujours dit que les pensées positives aidaient les gens malades. Ce dont a besoin Steve, c'est qu'on croie en lui.

— Il a surtout besoin qu'on dise la vérité, a-t-elle grommelé.

Pour finir, elle a laissé tomber. On a emporté nos boissons dans la salle d'attente et bu en silence.

Peu de temps après, Papa est arrivé, encore vêtu de ses habits de travail. Il a embrassé Maman et Annie, et m'a pressé l'épaule, marquant mon tee-shirt de taches de graisse.

— Il y a du nouveau ? a-t-il voulu savoir.

— Pas pour le moment. Les médecins continuent à l'examiner, a commenté Maman. Ça peut prendre des heures.

— Qu'est-ce qui lui est arrivé, Angela ?

— On ne sait toujours pas. Il faut attendre.

— J'ai horreur d'attendre, a réagi mon père.

Ceci dit, il n'avait pas le choix. Pas plus que nous.

Plusieurs heures se sont écoulées sans qu'il se passe rien de nouveau. Puis la mère de Steve est arrivée. Elle avait le teint aussi pâle que son fils et les lèvres pincées. Elle a foncé droit sur moi et m'a empoigné par les épaules pour me secouer.

— Qu'est-ce que tu lui as fait ? Tu lui as fait mal ? C'est toi qui as tué mon Steve ?

— Hé ! Arrêtez ça tout de suite ! s'est interposé Papa.

La mère de Steve l'a ignoré.

— Qu'est-ce que tu lui as fait ? a-t-elle répété en me secouant de plus belle.

Je voulais répondre « rien », mais mes dents claquaient trop.

— Qu'est-ce que tu lui as fait ? Qu'est-ce que tu lui as fait ?

C'est tout ce qu'elle savait dire quand, tout à coup, elle m'a lâchée et s'est affalée par terre où elle s'est mise à brailler tel un bébé.

Maman s'est levée du canapé et accroupie à côté d'elle. Elle lui a caressé les cheveux tandis qu'elle lui chuchotait des mots de réconfort à l'oreille. Elle l'a ensuite aidée à se relever et s'est assise près d'elle. La mère de Steve, toujours en pleurs, se lamentait à présent sur la mauvaise mère qu'elle était. Son fils la haïssait, elle en était persuadée.

— Les enfants, allez faire un tour, a exigé ma mère.

Annie et moi nous sommes éloignés.

— Darren, m'a-t-elle rappelé, ne fais pas attention à ce qu'elle a dit. Elle ne croit pas que c'est de ta faute. Elle a peur, c'est tout.

L'air pitoyable, j'ai hoché la tête. Que dirait Maman si elle savait que madame Leonard avait raison et que c'était entièrement de ma faute ?

Avec Annie, on a découvert des jeux vidéo pour s'occuper. Je n'aurais pas cru que je pourrais jouer, mais au bout de quelques minutes, Steve et l'hôpital me sont sortis de la tête et je me suis pris au jeu. Je trouvais ça chouette de déconnecter de la réalité ; si je n'avais pas été à court de monnaie, je serais bien resté là toute la nuit.

Quand nous sommes retournés dans la salle d'attente, la mère de mon copain s'était calmée. Elle était partie avec Maman remplir des papiers. Ma sœur et moi nous sommes assis. La longue attente a recommencé.

Aux alentours de dix heures, Annie s'est mise à bâiller et je n'ai pas pu m'empêcher de l'imiter. Maman nous a lancé un regard et ordonné de rentrer à la maison. J'ai protesté, mais elle m'a coupé la parole.

— Ça ne sert strictement à rien que vous restiez ici. J'appelle dès que j'ai des nouvelles, même s'il est trois heures du matin. C'est d'accord ?

J'ai hésité un instant. C'était ma dernière chance de parler de l'araignée. À deux doigts de vider mon sac, j'ai finalement renoncé, trop fatigué et incapable de trouver les mots.

— D'aaaaccord, ai-je dit avec morosité avant de rentrer à la maison.

C'est mon père qui nous a ramenés. J'essayais d'imaginer ce qu'il ferait si je lui racontais pour l'araignée, Mr Crepsley et tout. Il m'aurait puni, j'en étais certain, mais ce n'est pas pour cette raison que je ne lui ai pas avoué : je savais qu'il aurait honte de moi pour avoir menti et fait passer mes intérêts avant ceux de Steve. Ma crainte absolue, c'était qu'il me déteste.

Annie s'est endormie dans la voiture. Papa l'a prise dans ses bras pour la mettre au lit. Lentement, je suis monté dans ma chambre me déshabiller. Dans ma tête, je continuais à me traiter de tous les noms.

Mon père a passé le bout de son nez par ma porte tandis que je rangeais mes vêtements.

— Ça ira ?

J'ai acquiescé.

— Steve va s'en sortir. J'en suis sûr. Les médecins connaissent leur boulot. Ils vont le tirer de là.

Nouveau hochement de tête. Histoire de ne pas parler.

Papa est encore resté dans le couloir quelques instants, puis il est parti dans un soupir, direction son bureau, en bas.

Je pendais mon pantalon dans le placard lorsque mes yeux se sont posés sur la cage de Madame Octa. En douceur, je l'ai sortie. L'araignée, allongée au milieu, respirait profondément, aussi calme que d'habitude.

J'ai étudié l'animal un moment. D'accord, elle était pleine de couleurs vives, mais je lui trouvais soudainement l'air mauvais, moche, trop poilu. Je me suis mis à la haïr. C'était elle, la vraie fautive, celle qui avait mordu Steve sans raison. Je l'avais nourrie, je m'en étais occupé, j'avais joué avec elle. Et voilà comment elle me remerciait.

— Saleté de monstre ! ai-je éclaté d'une voix rageuse en la secouant. Sale ingrate !

À nouveau, j'ai malmené l'araignée dans sa cage. Elle s'agrippait fermement aux barreaux. Ça m'a encore plus énervé, alors j'ai agité la cage dans tous les sens pour qu'elle lâche prise, avec l'espoir qu'elle se fasse mal.

J'ai commencé à tourner sur moi-même, la cage en main. Fou de rage, je couvrais l'araignée de toutes les injures possibles et imaginables. Je voulais qu'elle meure. Si seulement je ne l'avais pas rencontrée... J'aurais voulu avoir le courage de la broyer entre mes doigts.

Au lieu de ça, je l'ai envoyée balader de toutes mes forces au travers de ma chambre sans regarder. Quand je me suis rendu compte que la cage était passée par la fenêtre restée ouverte, il était trop tard.

J'ai craint qu'elle ne s'ouvre en heurtant le sol et que Madame Octa s'échappe. Si les docteurs ne découvraient pas eux-mêmes de remède pour mon copain, ils auraient peut-être besoin d'elle.

J'ai couru à la fenêtre mais n'ai pas pu rattraper la cage. En revanche, j'ai pu voir où elle atterrissait. La suivant des yeux, j'ai prié pour qu'elle ne se casse pas. La chute a semblé se dérouler au ralenti.

Juste avant que la cage ne touche le sol, cependant, une main a jailli parmi les ombres de la nuit et l'a saisie au vol.

Une main ?

Plié en deux par-dessus le rebord, j'ai essayé de découvrir à qui elle appartenait. Il faisait particulièrement sombre cette nuit-là et au début, je n'ai vu personne. Mais ensuite, quelqu'un s'est avancé.

Je l'ai reconnu. Les mains ridées qui tenaient la cage. Les longs vêtements rouges. Les cheveux courts, roux, sur le haut du crâne. La grande cicatrice affreuse. Et, pour finir, les dents pointues.

C'était Mr Crepsley. Le vampire !

Les yeux levés vers moi, il me souriait à pleines dents.

23.

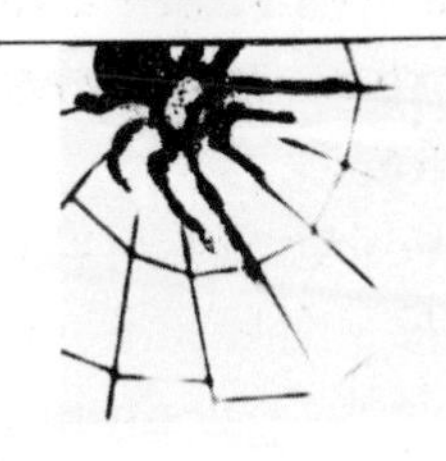

Debout, à la fenêtre, j'attendais le moment où il se changerait en chauve-souris et décollerait dans ma direction. Au lieu de ça, il a juste remué gentiment la cage pour s'assurer que Madame Octa allait bien.

Après, sans cesser de sourire, il a tourné les talons et disparu dans la nuit en quelques secondes.

Aussitôt, j'ai refermé la fenêtre et filé au lit, en sécurité sous la couette. Là, un tourbillon de questions a assailli mon cerveau. Depuis combien de temps se trouvait-il dans le jardin ? S'il savait où était Madame Octa, pourquoi ne l'avait-il pas reprise plus tôt ? Je pensais qu'il serait furieux ; il semblait au contraire amusé. Pourquoi ne m'avait-il pas égorgé comme Steve l'avait promis ?

Impossible de dormir. À présent, j'étais plus terrifié encore que le soir après avoir volé l'araignée. À cette époque, je me rassurais en me disant qu'il ne savait pas qui j'étais ni où j'habitais.

J'ai envisagé de me confier à mon père. Après tout, il y avait un vampire à nos trousses, qui connaissait notre adresse et avait toutes les raisons de nous en vouloir. C'était le genre d'information qu'un père de famille aurait dû savoir pour pouvoir contre-attaquer. Sauf que...

Il ne me croirait pas. Surtout maintenant que Madame

Octa n'était plus là. Je me voyais mal le convaincre de l'existence des vampires et que l'un d'entre eux était non seulement venu chez nous mais risquait de revenir. Il me prendrait pour un fou.

Juste avant le lever du soleil, j'ai réussi à m'assoupir un peu car je savais que le vampire ne pourrait plus rien faire avant la nuit. Ce n'était pas du bon sommeil, réparateur, mais ça m'a quand même fait du bien et j'avais les idées bien plus claires au réveil. En y réfléchissant, je me suis rendu compte que je n'avais aucune raison d'avoir peur. Si le vampire avait voulu me tuer, il l'aurait fait la veille, alors qu'il me prenait par surprise. Pour une raison que j'ignorais, il n'en voulait pas à ma vie. Du moins pas pour le moment.

Soulagé sur ce point, je pouvais me concentrer sur Steve et sur mon véritable problème : dire la vérité ou non. Ma mère avait passé toute la nuit à l'hôpital auprès de madame Leonard et donné des coups de fil aux voisins et amis pour les informer de l'état de mon copain. Si elle avait été à la maison, je lui aurais peut-être tout raconté. Par contre, la perspective d'avouer à Papa me terrifiait toujours autant.

Ce fut un dimanche extrêmement calme chez nous. Mon père a cuisiné des œufs et des saucisses pour le petit déjeuner. Comme d'habitude, il les a brûlés, mais nous nous sommes bien gardés de faire la moindre réflexion. Je n'ai même pas pris le temps de goûter la nourriture tandis que je l'avalais. Je n'avais pas d'appétit. La seule raison pour laquelle je mangeais, c'était pour faire semblant qu'on passait un dimanche comme un autre.

On finissait quand Maman a téléphoné. Elle a eu une longue conversation avec Papa. Il n'a pas dit grand-chose, se contentant de hocher la tête et de pousser des grognements. Avec Annie, on est restés assis sans bouger à essayer de capter des bribes de conversation. Après avoir raccroché, notre père est revenu s'asseoir dans la cuisine.

— Comment va-t-il ? me suis-je risqué.

— Pas bien. Les médecins n'y comprennent rien. Visiblement, Annie avait raison : il s'agirait d'une morsure venimeuse. En revanche, ils n'ont jamais vu un venin pareil. Ils ont envoyé des échantillons à des experts dans d'autres hôpitaux dans l'espoir que l'un d'entre eux puisse les éclairer. Mais...

Il a secoué la tête.

— Est-ce qu'il va mourir ? a demandé ma sœur.

— C'est possible, a admis mon père.

J'appréciais son honnêteté. Trop souvent, les adultes mentent aux enfants à propos de trucs graves. Je préférais de loin connaître la vérité sur un sujet comme la mort.

Annie s'est mise à pleurer. Papa l'a prise dans ses bras pour l'asseoir sur ses genoux.

— Il ne faut pas pleurer. Ce n'est pas fini. Steve est toujours en vie. Il respire et apparemment, son cerveau n'a pas été endommagé. Si jamais ils arrivent à trouver un moyen de combattre le venin qu'il a dans le corps, il s'en sortira.

— Combien de temps est-ce qu'il a ? ai-je voulu savoir.

Papa a haussé les épaules.

— Dans son état, ils peuvent le maintenir en vie un long moment grâce aux machines.

— Tu veux dire comme quelqu'un dans le coma ?

— Exactement.

— Quand devront-ils le brancher aux machines ?

— Dans deux ou trois jours, d'après eux. C'est difficile

d'être sûr étant donné qu'ils ne savent pas à quoi ils ont affaire. Enfin, ils pensent que ses systèmes pulmonaire et coronaire tiendront jusque-là.

— Ses quoi ? a demandé Annie.

— Ses poumons et son cœur. Tant qu'ils fonctionnent, Steve reste en vie. Il est sous perfusion parce qu'il ne peut pas se nourrir, mais à part ça il va très bien. À moins qu'il arrête de respirer par lui-même, il n'y a pas de raison de s'inquiéter.

Deux ou trois jours. C'était peu. La veille, nous avions encore toute la vie devant nous.

— Quand est-ce que je peux le voir ?

— Dès cet après-midi, si tu t'en sens capable.

— D'accord, cet après-midi.

L'hôpital, rempli de visiteurs, était nettement moins calme à cette heure-ci. Je n'avais jamais vu autant de boîtes de chocolats et de bouquets de fleurs en une fois. Tous les gens semblaient porter soit l'un, soit l'autre. J'aurais bien aimé acheter quelque chose à mon copain à la boutique de l'hôpital mais je n'avais pas d'argent.

Je m'étais imaginé que Steve serait au service pédiatrie, mais non. Il avait une chambre pour lui tout seul, dans un autre pavillon, car les médecins voulaient le garder à l'œil pendant ses examens. Ils ignoraient aussi s'il était contagieux ou pas. On a dû enfiler des masques, des gants et des grandes blouses vertes avant d'entrer.

Madame Leonard dormait sur une chaise. Maman nous a fait signe de ne pas faire de bruit. Chacun notre tour, elle nous a pris dans ses bras puis s'est adressée à Papa.

— On a reçu quelques résultats d'autres hôpitaux,

a-t-elle expliqué, sa voix étouffée par le masque. Ils sont tous négatifs.

— Il y a bien quelqu'un qui doit savoir de quoi il s'agit, a rouspété mon père. Combien de types de venin peut-il y avoir en tout ?

— Des milliers. Ils ont même envoyé des échantillons à l'étranger. Prions pour que quelqu'un connaisse ce venin-là. En attendant, il va falloir être patient.

Tandis qu'ils discutaient, j'observais Steve, soigneusement bordé dans son lit. Une perfusion était reliée à son bras et des fils couraient sur sa poitrine. Il portait des traces d'aiguille là où les médecins avaient prélevé des échantillons de sang. Son visage, blanc et figé, lui donnait une mine terrible !

Je ne pouvais plus m'arrêter de pleurer. Maman m'a enlacé. Quand son étreinte s'est resserrée sur moi, je me suis senti encore plus mal. Je voulais lui avouer ce qui s'était passé avec l'araignée, mais les pleurs auraient couvert mes paroles. Ma mère m'a gardé contre elle, m'embrassant et me consolant. À force, mes sanglots ont cessé.

D'autres visiteurs sont arrivés. Des gens de la famille de Steve. Maman, qui avait décidé qu'on devait les laisser ensemble, nous a donc fait sortir. Ensuite, elle a enlevé mon masque et, avec un mouchoir, a séché les larmes sur mon visage.

— Voilà qui est mieux, a-t-elle commenté en souriant.

Elle m'a chatouillé jusqu'à ce que je retrouve le sourire.

— Ne t'inquiète pas. Il va s'en sortir, a-t-elle promis. Je sais qu'il a l'air mal en point, mais il est entre de bonnes mains. Il faut faire confiance aux médecins et garder espoir. Tu veux bien ?

— D'accord, ai-je soupiré.

— Moi, je n'ai pas trouvé qu'il avait mauvaise mine, est intervenue Annie tandis qu'elle me serrait la main.

Je l'ai remerciée d'un sourire.

— Tu rentres à la maison, maintenant ? a demandé Papa à Maman.

— Je ne sais pas trop. Je devrais peut-être rester encore un peu, juste au cas où...

— Angela, tu as fait ton maximum, a déclaré mon père fermement. Je parie que tu n'as même pas fermé l'œil de la nuit, je me trompe ?

— Non.

— Et si tu restes ici, tu vas enchaîner avec une autre nuit blanche. Allez, Angie, rentre avec nous.

C'est toujours comme ça qu'il l'appelle quand il essaie de l'amadouer pour qu'elle fasse quelque chose.

— Il y a d'autres personnes capables de veiller sur Steve et sa mère. Personne ne te demande de tout prendre en charge.

— Entendu, mais je repasserai ce soir pour voir s'ils ont besoin de moi.

— Marché conclu, a-t-il dit avant d'ouvrir la voie vers sa voiture.

On ne pouvait pas vraiment appeler ça une visite, mais je n'allais pas me plaindre, trop content de quitter l'hôpital.

En chemin, j'ai repensé à Steve, à l'état dans lequel il était et *pourquoi*. J'ai réfléchi au venin qui coulait dans ses veines et suis parvenu à la quasi-certitude que les médecins n'arriveraient pas à découvrir de remède. Ma main à couper qu'aucun médecin au monde n'avait encore été confronté au venin d'une araignée comme Madame Octa.

Mon copain avait peut-être une tête affreuse. Dans un jour ou deux, ce serait pire. Je l'imaginais branché à un appareil respiratoire, le visage recouvert d'un masque et le corps percé de tuyaux en tous genres. C'était affreux.

Il n'y avait qu'une seule façon de sauver Steve. Une personne et une seule devait savoir comment combattre le venin.

Mr Crepsley.

Alors qu'on sortait de la voiture, devant la maison, j'ai pris ma décision : je retrouverais le vampire et le forcerais à venir en aide à mon ami. La nuit tombée, je sortirais en douce et partirais à sa recherche, où qu'il soit. Et si je ne pouvais pas le convaincre et ramener un remède avec moi...

... je ne reviendrais pas.

24.

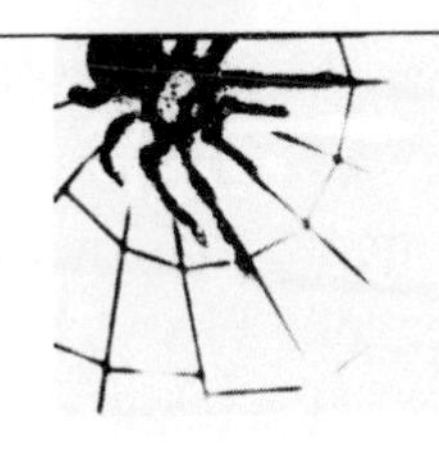

J'ai dû attendre onze heures du soir ou presque. Je serais bien parti plus tôt, pendant que Maman était à l'hôpital, mais des copains de Papa sont passés à la maison avec leurs enfants et j'ai été forcé de leur tenir compagnie.

Ma mère est rentrée aux alentours de dix heures, fatiguée. Papa a écourté la visite de ses copains et il a pris une tasse de thé avec elle dans la cuisine. Après, ils sont allés se coucher. Je leur ai laissé le temps de sombrer dans le sommeil, puis je suis descendu sans faire de bruit et sorti par la porte de derrière.

Plus rapide que l'éclair, personne ne m'a vu ni même entendu, dans la nuit. Au fond d'une de mes poches, j'avais une croix fauchée dans le coffret à bijoux de ma mère. Dans l'autre, une bouteille d'eau bénite qu'un des correspondants de mon père nous avait envoyé des années plus tôt. Je n'avais pas réussi à mettre la main sur un pieu. À la place, j'avais envisagé d'emporter un couteau pointu, mais pensé que, pour le même prix, je risquais de me couper. Les couteaux et moi, ça fait deux.

Le vieux théâtre était plongé dans l'obscurité totale et désert. Cette fois-ci, je suis entré par la porte de devant.

Je n'avais aucune idée de ce que je ferais si le vampire n'était pas là. Au fond de moi, pourtant, j'en avais le pressentiment. Ça me rappelait le jour où Steve avait jeté en l'air les bouts de papier et le billet, et que j'avais fermé les yeux et tendu la main. Cette fois aussi, c'était écrit.

J'ai mis longtemps à retrouver la cave. Les piles de ma lampe de poche étaient quasiment mortes et au bout de quelques minutes, elle m'a lâché. Plongé dans le noir, j'avançais à tâtons, aussi aveugle qu'une taupe. Quand j'ai finalement trouvé l'escalier, je m'y suis précipité sans laisser le temps à la peur de me rattraper.

Plus je descendais, plus il faisait clair, jusqu'à ce que j'arrive en bas où cinq immenses bougies brûlaient. Ça m'a surpris. Les vampires n'étaient-ils pas censés avoir peur du feu ? Quoi qu'il en soit, c'était une bonne surprise.

À l'extrémité de la cave, Mr Crepsley m'attendait. Assis à une petite table, il faisait une partie de solitaire.

— Bonjour, monsieur Shan, a-t-il lancé sans lever les yeux.

Avant de répondre, je me suis raclé la gorge.

— Vous voulez dire bonsoir ? C'est le beau milieu de la nuit.

— Pour moi, c'est le matin.

Il a levé la tête et m'a souri. Ses dents étaient longues, effilées. C'était la première fois que je m'approchais si près de lui. Je m'attendais à remarquer toutes sortes de détails comme des dents rouges, des oreilles allongées, de minuscules yeux enfoncés, mais il avait l'air parfaitement normal, à l'exception de son immense laideur.

— Vous m'attendiez, n'est-ce pas ? l'ai-je interrogé.

— C'est exact.

— Depuis quand saviez-vous où Madame Octa était ?

— Je l'ai découvert la nuit après que tu l'as volée.

— Pourquoi ne l'avez-vous pas reprise à ce moment-là ?

Il a haussé les épaules.

— J'allais le faire quand je me suis dit qu'un garçon qui osait voler un vampire était digne d'un intérêt tout particulier. Ainsi, j'ai décidé de t'observer quelque temps.

— Pourquoi faire ?

Mes genoux cognaient l'un contre l'autre.

— C'est une bonne question. Si je le savais ! s'est-il moqué.

Il a claqué des doigts et, d'un coup, les cartes, sur la table, sont allées se ranger toutes seules dans le paquet. Il l'a écarté et a fait craquer ses articulations.

— Dis-moi, Darren Shan, pourquoi es-tu ici aujourd'hui ? Tu comptes me voler encore Madame Octa ?

D'un geste de la tête, j'ai répondu non.

— Je ne veux plus jamais voir ce monstre !

Le vampire a éclaté de rire.

— Elle sera bien triste de l'apprendre.

— Je vous interdis de vous moquer !

— Ah bon ? Et que me feras-tu si jamais je continue ?

J'ai sorti la croix et le flacon d'eau bénite.

— Je me servirai de ça ! ai-je rugi en espérant qu'il basculerait vers l'arrière, terrorisé.

À la place, il a souri et claqué des doigts une nouvelle fois. Immédiatement, les deux objets ont quitté mes mains... pour les siennes.

Il a étudié la croix, a ri de plus belle, et l'a écrasée en une petite boule comme si elle était en papier aluminium. Après, il a ouvert le flacon d'eau bénite et l'a bue.

— Tu sais ce que j'adore ? Les gens qui lisent trop de livres et regardent trop de films d'horreur. Parce qu'ils croient ce qu'ils lisent et voient, et qu'ils choisissent d'emporter des choses aussi ridicules que des croix et de l'eau bénite au lieu de prévoir des armes susceptibles de faire de vrais dégâts. Des revolvers et des grenades par exemple.

— Vous voulez dire que… les croix… ne vous font aucun mal ?

— Pourquoi le devraient-elles ?

— Parce que vous êtes… diabolique.

— Vraiment ?

— Forcément. Vous êtes un vampire.

— Tu ne devrais pas croire tout ce qu'on te dit. Il est vrai que nous avons un appétit plutôt exotique, mais ce n'est pas parce que nous buvons du sang que nous sommes diaboliques. Et les chauves-souris qui se nourrissent du sang des vaches et des chevaux, elles sont diaboliques, elles aussi ?

— C'est différent. Ce sont des animaux.

— Les êtres humains aussi sont des animaux. Si un vampire tue un homme, alors, c'est qu'il est diabolique en effet. Par contre, lorsqu'il prend juste un peu de sang pour faire taire les gargouillis de son ventre, je ne vois pas où est le mal.

Je ne savais plus quoi dire ni penser. Tétanisé, j'étais à sa merci, seul, sans défense.

— Je vois que tu n'es pas d'humeur à mener un débat. Très bien. Gardons les discours pour une autre fois. Eh bien, dis-moi, Darren Shan, que veux-tu si ce n'est mon araignée ?

— Elle a mordu Steve Leonard.

— Le garçon connu sous le nom de Steve Leopard. Voilà une fâcheuse nouvelle. Cela dit, quand on joue à des jeux qui ne sont pas de son âge, il ne faut pas venir se plaindre a…

— Je veux que vous le guérissiez ! l'ai-je interrompu en hurlant.

— Moi ? Mais je ne suis pas médecin. Et encore moins spécialiste. Je ne suis qu'un artiste de cirque. Un spécimen de foire. Tu te rappelles ?

— Ce n'est pas vrai. Vous êtes plus que ça. Je sais que vous avez le pouvoir de le sauver.

— Peut-être. Le venin de Madame Octa est mortel mais, pour chaque poison, il existe effectivement un antidote. Il se pourrait que j'aie un remède. Une bouteille de sérum qui rétablisse les fonctions vitales de ton ami.

— Oui ! me suis-je écrié avec joie. Je le savais !

— Mais peut-être aussi…, m'a fait taire Mr Crepsley, un long doigt squelettique levé vers moi… que le flacon de sérum est minuscule et le liquide très précieux. Peut-être que je souhaite le garder pour une véritable urgence, au cas où Madame Octa me morde *moi*. Qui te dit que j'ai envie de le gaspiller pour sauver un sale petit morveux ?

— Il faut que vous me le donniez ! Steve en a besoin. Il est en train de mourir. Vous devez faire quelque chose.

— Je n'y suis nullement obligé. Steve n'est pas mon ami, c'est le tien. Tu l'as entendu la nuit où il était ici : il a juré de devenir chasseur de vampires plus tard.

— Il ne le pensait pas. Il était en colère, c'est tout.

— C'est bien possible, a reconnu le vampire, pensif, tandis qu'il tapotait son menton et caressait sa cicatrice. Mais encore une fois : pour quelle raison devrais-je sauver Steve Leopard ? Le sérum a coûté une fortune et il n'y en a pas d'autre.

— Je peux vous l'acheter, ai-je crié.

Et là, j'ai su que c'était la réponse qu'il attendait. Je l'ai lu dans ses yeux lorsqu'il les a plissés. Je l'ai vu à la façon dont il se penchait en avant, un sourire aux lèvres. C'était pour ça qu'il n'avait pas repris Madame Octa la première nuit. Pour ça qu'il n'avait pas quitté la ville.

— L'acheter ? a-t-il répété avec ruse. Mais tu n'es qu'un enfant. C'est impossible que tu aies assez d'argent pour acheter l'antidote.

— Je paierai en plusieurs fois, ai-je promis. Toutes les semaines pendant cinquante ans ou aussi longtemps que vous voudrez. Et plus tard, quand j'aurai un métier, je vous donnerai tout ce que je gagne. Je le jure.

Il a secoué la tête.

— Je n'ai que faire de ton argent.

— Qu'est-ce que vous voulez alors ? l'ai-je interrogé tout bas. Je suis sûr qu'il y a moyen de monnayer ça. Sinon vous ne m'auriez pas attendu aujourd'hui, pas vrai ?

— Tu es un jeune homme fort intelligent, Darren. Je l'ai su tout de suite, quand je me suis réveillé et que j'ai découvert ton mot à la place de la cage de mon araignée. Je me suis dit : « Larten, voilà un remarquable enfant, un véritable prodige. Quelqu'un qui ira loin. »

— Arrêtez vos salades et dites-moi ce que vous voulez, ai-je grondé.

Il a rigolé méchamment puis il est redevenu sérieux.

— Tu te souviens ce dont Steve Leopard et moi avons parlé ?

— Évidemment. Il vous a demandé de le changer en vampire. Vous avez dit qu'il était trop jeune alors il a proposé de vous servir d'assistant. Vous étiez d'accord mais ensuite, vous vous êtes aperçu qu'il était démoniaque et vous avez changé d'avis.

— C'est un bon résumé. Sauf que, si tu te rappelles bien, je n'étais pas très chaud à l'idée d'avoir un assistant. Parfois, c'est utile, mais c'est une charge en plus.

— Où voulez-vous en venir ?

— Eh bien, j'ai reconsidéré la chose depuis et décidé que c'était peut-être une bonne idée, après tout. Surtout maintenant que je me suis séparé du Cirque du Freak et que je vais devoir me débrouiller tout seul. Oui, je crois qu'un assistant à me mettre sous la dent est juste ce qu'il me faut à présent.

Il a souri de sa blague.

J'ai froncé les sourcils.

— Vous voulez dire que vous allez prendre Steve comme assistant finalement ?

— Ciel, non ! Ce petit monstre ? Qui sait comment il va tourner en grandissant ? Non, Darren Shan, je ne voudrais pas de Steve Leopard pour assistant.

Il m'a pointé du doigt. Et là, j'ai tout de suite compris.

— C'est moi que vous voulez ? lui ai-je ôté les mots de la bouche dans un soupir.

Son sourire sinistre m'a suffi comme réponse.

25.

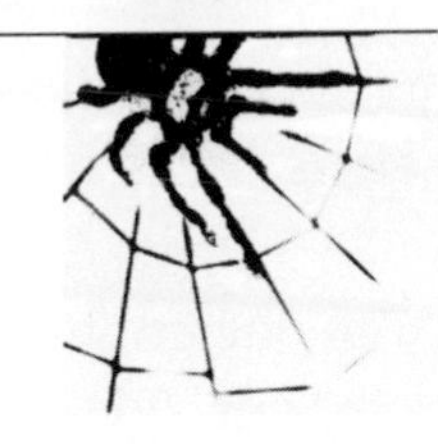

— Vous êtes complètement fou ?! ai-je hurlé. (J'ai trébuché en essayant de reculer.) Hors de question que je devienne votre assistant !

Mr Crepsley a réagi d'un simple haussement d'épaules.

— Alors Steve Leopard va mourir.

Je me suis figé sur place.

— Je vous en supplie. Il doit y avoir une autre solution.

— Il n'y a pas matière à discussion. Si tu veux sauver ton ami, tu dois te joindre à moi. Sinon, la conversation s'arrête là.

— Et si…

— Je n'ai pas de temps à perdre ! (Il a tapé du poing sur la table.) Ça fait deux semaines que je vis dans ce trou, parmi les puces, les cafards et les poux. Si mon offre ne t'intéresse pas, dis-le tout de suite et je m'en irai. Mais n'essaie pas de proposer d'autres options. Il n'y en a aucune.

J'ai timidement acquiescé d'un signe de tête et avancé de quelques pas.

— Parlez-moi du travail d'assistant.

Le vampire a souri.

— Tu seras mon compagnon de voyage à travers le monde. La journée, tu seras mes yeux et mes mains. Tu me serviras de gardien pendant que je dors. Tu trouveras à manger pour moi. Tu emmèneras mon linge au lavomatique. Tu cireras mes chaussures et tu t'occuperas de Madame Octa. En résumé, tu veilleras à tous mes besoins. En échange, je t'enseignerai les us et coutumes des vampires.

— Faudra-t-il que j'en devienne un moi aussi ?

— Un jour ou l'autre, oui. Pour commencer, tu n'auras qu'un nombre limité de pouvoirs. Je ferai de toi un semi-vampire. Ce qui signifie que tu pourras te déplacer la journée. Tu n'auras pas besoin de beaucoup de sang. Enfin, tu vieilliras cinq fois moins vite qu'un homme ordinaire, au lieu de dix fois moins vite pour les vampires.

— Ça veut dire ?

— Les vampires ne sont pas éternels, même s'ils vivent bien plus longtemps que les humains. En fait, nous vieillissons dix fois moins vite qu'eux. Autrement dit, quand un homme vieillit de dix ans, nous ne vieillissons que d'un an. En tant que semi-vampire, tu vieilliras d'un an tous les cinq ans.

— Je n'en sais rien... ai-je grommelé. Ce n'est pas très précis, votre explication.

— Le choix t'appartient. Je ne peux pas te forcer à devenir mon assistant. Si ça ne te convient pas, tu es libre de partir.

— Mais alors Steve mourra !

— Tu as tout compris. Tes services contre sa vie, tel est le marché.

— Vous parlez d'un marché ! Comme si j'avais le choix !

— Tu as raison. Seulement je n'en ai pas d'autre à te proposer. Eh bien, tu acceptes ?

J'ai réfléchi un moment. J'aurais voulu refuser et m'enfuir

sans jamais me retourner. Mais si je faisais ça, mon copain allait mourir. Valait-il la peine que je conclue un marché pareil ? Me sentais-je coupable au point d'échanger ma vie contre la sienne ? La réponse était :

Oui !

— D'accord. (J'ai poussé un soupir.) Je n'ai pas du tout envie. Mais je n'ai pas le choix non plus. Je veux quand même que vous sachiez une chose : à la première occasion de vous trahir et de vous rendre la monnaie de votre pièce, je n'hésiterai pas une seule seconde. Jamais vous ne pourrez me faire confiance.

— Message reçu.

— Je ne rigole pas !

— Moi non plus. C'est bien pour ça que je te veux comme assistant. Cette fonction exige qu'on ait l'esprit combatif. Une qualité qui m'a plu chez toi. Tu seras un compagnon dangereux, c'est certain. En revanche, en cas de coup dur, tu te révéleras l'allié idéal. Je le sens.

J'ai pris une grande bouffée d'oxygène.

— Comment on fait ?

Sur ces mots, il s'est levé et a repoussé la table sur le côté. Ensuite, il s'est approché de moi. On aurait dit un géant. Une odeur fétide, que je n'avais pas remarquée auparavant, émanait de lui. L'odeur du sang.

Il a levé la main droite et m'en a montré le dos. Ses ongles n'étaient pas particulièrement longs, mais ils étaient coupants. La main gauche levée, il a enfoncé les ongles de l'autre dans la chair, au bout de ses doigts. Il a recommencé en changeant de main et grimacé pendant l'opération.

— Donne-moi tes mains, a-t-il grogné.

Captivé par les gouttes de sang qui coulaient de ses doigts, je n'ai pas réagi.

— Dépêche-toi !

Il a saisi mes mains et les a levées brutalement.

En une fois, il a planté ses dix ongles dans la chair tendre, à l'extrémité de mes doigts. Dans un hurlement de douleur, je suis tombé par terre et j'ai ramené mes mains contre moi, les frottant contre ma veste.

— Ne joue pas les bébés !

Il a tiré sur mes mains.

— Mais ça fait mal !

— Évidemment que ça fait mal, a-t-il ri. À moi aussi. Tu croyais que c'était facile de devenir un vampire. Il va falloir que tu t'habitues à la douleur. Tu la côtoieras souvent à l'avenir.

Il a mis deux de mes doigts en bouche et sucé le sang. Avant de l'avaler, il l'a fait tourner en bouche afin de mieux le goûter. Pour finir, il a hoché la tête et dégluti.

— Ton sang est bon. Nous pouvons continuer.

Il a pressé ses doigts contre les miens en faisant coïncider nos coupures respectives. Pendant quelques secondes, j'ai eu le bout des bras engourdi. Ensuite, j'ai senti mon sang jaillir et circuler de mon corps au sien, au niveau de ma main gauche, tandis que son sang passait dans mon corps par la droite.

Ça procurait une sensation bizarre. Une sorte de fourmillement. Je pouvais sentir son sang remonter dans mon bras droit, puis redescendre de l'autre côté, vers la gauche. Au moment où le sang a atteint mon cœur, j'ai eu l'impression qu'on me poignardait. J'ai failli m'écrouler.

Mr Crepsley, visiblement, ressentait la même chose : il serrait les dents et transpirait à grosses gouttes.

La douleur a duré jusqu'à ce que le sang du vampire descende dans mon bras gauche et regagne le corps de son propriétaire. Nous avons gardé les doigts collés quelques secondes supplémentaires, puis il s'est libéré dans un grand cri. J'ai été projeté en arrière. J'avais la nausée et le tournis.

— Donne-moi tes doigts ! a commandé Mr Crepsley qui avait commencé à lécher les siens. Ma salive va les faire cicatriser. Sinon, tu vas te vider de ton sang.

J'ai considéré un instant mes mains d'où s'échappait le liquide rouge, épais.

Les doigts écartés devant moi, j'ai laissé le vampire les mettre dans sa bouche et passer sa langue rugueuse au bout.

Quand il les a relâchés, le sang ne coulait plus. J'ai essuyé les traces qui restaient sur un chiffon. Chacune des extrémités de mes doigts présentait désormais une petite cicatrice.

— C'est à cela que l'on reconnaît un vampire, a commenté l'intéressé. Il y a d'autres méthodes pour changer un humain, mais celle-ci est la plus simple et la moins douloureuse.

— C'est tout ? Je suis un semi-vampire maintenant ?

— Oui.

— Je me sens pareil.

— Ça va prendre quelques jours avant que tu en ressentes les effets. Il y a toujours une période d'adaptation. Sinon, le choc serait trop important.

— Comment devient-on un vrai vampire ?

— De la même façon. Il suffit de rester en contact plus longtemps afin que davantage de sang pénètre dans ton corps.

— Quels nouveaux pouvoirs vais-je avoir ? Est-ce que je pourrai me transformer en chauve-souris ?

Les murs ont tremblé avec son éclat de rire.

— Une chauve-souris ! Ne me dis pas que tu crois à ces histoires stupides ? Comment veux-tu que quelqu'un de ta taille ou de la mienne parvienne à se changer en minuscule chauve-souris volante ? Réfléchis un peu, mon garçon. On ne peut pas davantage se transformer en chauve-souris, en rat ou en brume qu'en bateau, en avion ou en singe.

— Qu'est-ce qu'on peut faire alors ?

Il s'est gratté le menton.

— Ça prendrait trop de temps de tout t'expliquer maintenant. Avant, on doit s'occuper de ton ami. S'il ne reçoit pas l'antidote avant demain matin, il ne fera pas effet. Qui plus est, nous avons tout le loisir de discuter de nos pouvoirs secrets à présent. (Il a souri jusqu'aux oreilles.) Nous avons dix vies devant nous !

26.

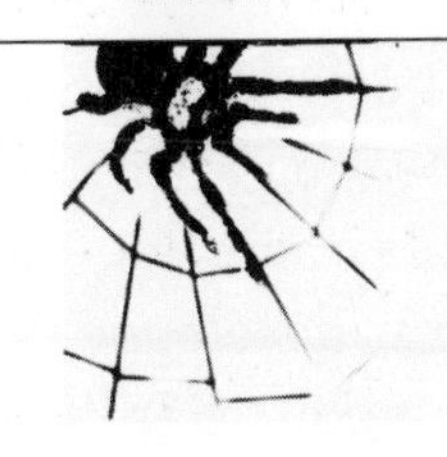

Mr Crepsley est passé devant pour sortir de la cave puis du théâtre. Dans l'obscurité, il se déplaçait avec assurance. J'avais la sensation de voir un peu mieux qu'en arrivant, mais c'était peut-être dû à mes yeux, habitués à la pénombre, plutôt qu'au sang de vampire qui coulait dans mes veines.

Une fois dehors, mon maître m'a dit de monter sur son dos.

— Accroche-toi bien à mon cou. Et ne fais pas de mouvement brusque.

Alors que je m'exécutais, j'ai regardé en bas et constaté qu'il portait des chaussons. J'ai trouvé ça drôle, mais n'ai pas fait de commentaire.

Quand j'ai été bien installé sur son dos, Mr Crepsley s'est mis à courir. Au début, je n'ai rien remarqué de spécial, mais un peu après, je me suis rendu compte que les bâtiments défilaient à toute vitesse. Les jambes de mon porteur n'avaient pourtant pas l'air de bouger si vite que ça. C'est plutôt le monde autour de nous qui semblait s'accélérer et nous entraîner dans sa course.

Nous avons rejoint l'hôpital en deux ou trois minutes. Normalement, il en fallait une vingtaine, à condition de sprinter tout du long.

— Comment avez-vous fait ? ai-je demandé en redescendant à terre.

— La vitesse est quelque chose de relatif, a-t-il expliqué en resserrant sa cape rouge autour du cou.

Il m'a attiré à l'abri avec lui. Caché dans l'ombre, j'ai attendu mais il n'a pas développé sa réponse.

— Dans quelle chambre se trouve ton ami ?

Je lui ai donné le numéro. Il a regardé en l'air, compté les fenêtres puis hoché la tête et ordonné que je remonte sur son dos. Ensuite, il s'est approché du mur, a retiré ses chaussons et il a placé ses doigts et ses orteils contre la paroi. Là, il a planté ses ongles... dans la brique !

— Humm... C'est friable mais ça devrait tenir. Ne panique pas si jamais nous glissons. Je retombe toujours sur mes pattes ! Il en faut beaucoup pour venir à bout d'un vampire.

Il a escaladé la façade à la force de ses mains et pieds qu'il bougeait l'un après l'autre. Il avançait vite et nous sommes arrivés à la chambre de Steve en un rien de temps. Accroupis sur le rebord de la fenêtre, nous avons scruté l'intérieur.

Sans connaître l'heure exacte, je devinais qu'il était très tard. Steve était seul dans sa chambre. Mr Crepsley a tenté d'ouvrir la fenêtre : elle était verrouillée. Il a positionné les doigts d'une main à proximité du verre, en face du loquet et de l'autre main, a fait claquer ses doigts.

La fenêtre s'est déverrouillée toute seule ! Il l'a ouverte et s'est glissé dans la chambre. Je suis descendu de son dos. Tandis qu'il vérifiait la porte, j'ai examiné Steve. Sa respiration était plus saccadée qu'avant, les tubes auxquels il était raccordé s'étaient multipliés et il était relié à d'imposantes machines à l'aspect menaçant.

— Le venin a fait effet plus vite que prévu, a déclaré le vampire qui jetait un œil par-dessus mon épaule. Il est peut-être déjà trop tard.

En entendant ces mots, mon estomac s'est noué.

Penché au-dessus du lit, Mr Crepsley a soulevé une des paupières de mon ami. Pendant plusieurs longues secondes, il a fixé le globe oculaire de Steve tout en tenant son poignet droit. Finalement, il a émis un étrange grondement.

— C'est bon : nous sommes dans les temps, a-t-il déclaré à mon grand soulagement. Mais heureusement que tu n'as pas attendu plus longtemps. Encore quelques heures et tu pouvais lui dire adieu.

— Allez, donnez-lui l'antidote ! Qu'est-ce que vous attendez ?

Je n'avais aucune envie de savoir à quel point mon copain avait frôlé la mort.

Mr Crepsley a plongé la main dans l'une de ses innombrables poches et ressorti une petite fiole en verre. Il a allumé la lampe de chevet et avancé le contenant devant le faisceau de lumière pour en étudier le sérum.

— Je dois faire attention, a-t-il raconté. Cet antidote est presque aussi dangereux que le venin. Une ou deux gouttes de trop et…

Inutile de terminer sa phrase.

Il a penché la tête de Steve sur le côté et m'a demandé de la maintenir dans cette position. D'un coup d'ongle dans la peau, il a légèrement entaillé le cou du malade. À l'endroit où le sang perlait, le vampire a appuyé son doigt tandis qu'il débouchait la fiole de sa main libre.

Il a porté le contrepoison à sa bouche. Alors qu'il s'apprêtait à boire, j'ai voulu savoir ce qu'il faisait.

— Je dois lui administrer par voie sanguine. Un médecin pourrait lui injecter, mais personnellement, je n'y connais rien aux aiguilles et autres ustensiles de la sorte.

— Ça ne risque rien ? Je veux dire, vous n'allez pas lui refiler des microbes ?

Il a souri.

— Si tu préfères appeler un docteur, vas-y. Ne te gêne pas. Sinon, fais confiance à un homme qui faisait déjà ça bien avant que ton grand-père soit né.

Il a versé le sérum dans sa bouche et l'y a fait tourner. Ensuite, il s'est penché vers l'avant pour pouvoir placer ses lèvres sur la petite entaille. Ses joues se sont gonflées, puis dégonflées au moment d'injecter l'antidote à Steve.

Une fois terminé, il s'est rassis et essuyé la bouche avant de cracher ce qui restait du liquide par terre.

— J'ai toujours peur d'avaler ce truc sans faire exprès. Un de ces jours, je vais suivre un cours sur l'art et la manière de faire ça sans se fatiguer.

J'étais sur le point de répondre quand mon ami a bougé. D'abord, le cou, ensuite la tête et les épaules. Il a remué les bras et contracté les jambes. Son visage s'est crispé et il a commencé à pousser des gémissements.

— Qu'est-ce qui se passe ? ai-je voulu savoir, inquiet.

— C'est normal. (Mr Crepsley a rangé la fiole.) Il a failli y rester. Le trajet du retour parmi les vivants n'est jamais agréable. Il aura mal pendant un moment, mais il survivra.

— Des effets secondaires ? Il ne va pas rester paralysé, paraplégique ou un truc dans le style ?

— Non. Ne t'en fais pas pour lui. À part des courbatures

et une tendance à attraper des rhumes facilement, il redeviendra comme avant.

Steve a subitement ouvert les yeux et nous a fixés, le vampire et moi. L'air perplexe, il a essayé de parler. Sans succès. Pour finir, ses yeux ont perdu toute expression et se sont refermés.

— Steve ? (Je l'ai secoué.) Steve ?

— Ce n'est pas la dernière fois que ça arrive, a expliqué Mr Crepsley. Il va perdre connaissance, revenir à lui, reperdre connaissance toute la nuit. D'ici demain matin, il devrait être conscient et l'après-midi, il s'assoira au lit pour réclamer à manger.

— Viens. Il faut y aller, a-t-il ajouté.

— Je voudrais rester encore un peu. Pour être sûr qu'il est guéri.

— Disons plutôt que tu veux vérifier que je ne t'ai pas roulé, n'est-ce pas ? (Il a rigolé.) Nous reviendrons demain. Tu pourras constater par toi-même qu'il va très bien. Il est grand temps de partir à présent. Si jamais nous restons plus...

Tout à coup, la porte s'est ouverte sur une infirmière.

— Que se passe-t-il ici ? s'est-elle exclamée en nous voyant. Qui êtes...

Le vampire a réagi immédiatement en empoignant le couvre-lit de Steve pour le jeter à la figure de la femme. Alors qu'elle essayait de se dégager, elle est tombée sur le sol et s'est coincée les mains dans les plis de la couverture.

— Viens ! a soufflé Mr Crepsley comme il se précipitait à la fenêtre. Il faut partir immédiatement.

J'ai considéré un moment la main qu'il me tendait, puis Steve, puis l'infirmière et enfin la porte ouverte.

Le vampire a baissé le bras.

— Je vois, a-t-il réagi, froidement. Tu comptes revenir sur notre marché.

Hésitant, j'ai ouvert la bouche pour dire quelque chose, mais, guidé par une impulsion, ai préféré faire demi-tour en direction de la porte. Et de la liberté !

Je pensais qu'il essaierait de m'arrêter. Au lieu de ça, il s'est contenté de hurler après moi :

— Très bien, Darren Shan. Cours. Tu n'iras pas bien loin ! Tu es une créature de la nuit à présent. Tu es l'un d'entre nous. Bientôt, tu reviendras à genoux, me supplier de t'aider. Cours, idiot. Vas-y, cours !

Là, il s'est mis à rigoler.

Son rire m'a poursuivi jusque dans le couloir, alors que je dévalais les escaliers et sortais par la porte de devant. En courant, je jetais des coups d'œil par-dessus mon épaule. Je m'attendais à ce qu'il me tombe dessus à tout moment, mais je n'ai vu aucune trace de lui sur le chemin de la maison. Pas la moindre.

Tout ce qui me restait de lui, c'était son rire. Il résonnait dans ma tête comme le gloussement d'une vieille sorcière lorsqu'elle vient de jeter un sort !

27.

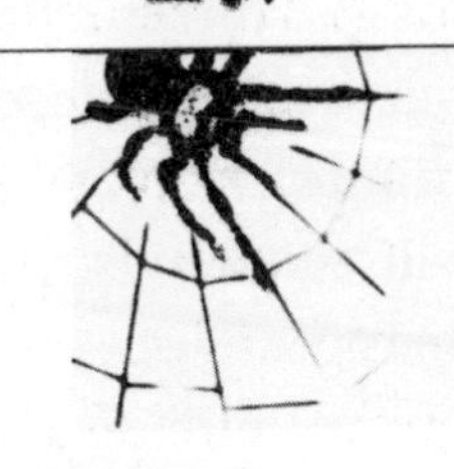

Le lendemain, lundi matin, j'ai fait l'étonné quand Maman, après avoir raccroché le téléphone, m'a appris que Steve était rétabli. Elle était tellement heureuse qu'elle s'est mise à danser dans la cuisine, nous entraînant, Annie et moi, avec elle.

— Il a repris conscience tout seul ? a demandé Papa.

— Oui. Les médecins ne comprennent pas, mais tu penses bien que personne ne se plaint !

— Incroyable, a dit mon père dans sa barbe.

— C'est peut-être un miracle, a commenté ma sœur.

J'ai tourné la tête pour qu'elle ne me voie pas sourire. Secrètement, je me disais « oui, c'en est un, si on veut ! ».

Tandis que ma mère partait rendre visite à madame Leonard, je me suis mis en route pour l'école. Même si Mr Crepsley m'avait dit que je pourrais toujours me balader de jour, j'avais à moitié peur que les rayons du soleil me brûlent en sortant de la maison.

De temps à autre, je me demandais si je n'avais pas rêvé. Après coup, toute cette histoire semblait tellement délirante. Intérieurement, je savais, pourtant, que c'était vrai, seulement j'essayais de me convaincre du contraire ; parfois même, j'y parvenais presque.

Ce que je détestais le plus, c'était la perspective de devoir passer autant d'années dans ce corps. Qu'allais-je dire à Papa, Maman et tous les autres ? Passé quelques années, j'aurais l'air débile, surtout à l'école, dans une classe parmi des élèves tous apparemment plus âgés que moi.

Le mardi, je suis allé rendre visite à Steve. Il regardait la télé, assis au lit, en mangeant des chocolats. Super content de me voir, il m'a tout raconté de son séjour à l'hôpital, la nourriture, les jeux que lui apportaient les infirmières, la tonne de cadeaux que ses visiteurs lui avaient offerts.

— Il faudra que je pense à me faire mordre par une araignée venimeuse plus souvent, a-t-il plaisanté.

— Si j'étais toi, je n'en abuserais pas. La prochaine fois, il se pourrait que tu ne t'en remettes pas.

La mine sérieuse, il m'a étudié.

— Tu sais, les médecins n'y comprennent vraiment rien. Ni ce qui m'a rendu malade. Ni comment je m'en suis sorti.

— Tu ne leur as pas parlé de Madame Octa ?

— Non. Je ne voyais pas l'intérêt. Ça t'aurait attiré des ennuis.

— Merci.

— Qu'est-ce que tu en as fait ?

— Je l'ai tuée, ai-je menti. J'étais furax ; je l'ai écrasée.

— Vraiment ?

— Han-han.

Lentement, il a hoché la tête sans me quitter un seul instant du regard.

— En rouvrant les yeux pour la première fois, j'ai cru que je te voyais. J'ai dû me tromper, car c'était en plein milieu de la nuit. Peut-être que j'ai rêvé. N'empêche, ça avait l'air drôlement vrai. Et tu n'étais pas seul. Il y avait un grand type avec toi, moche, habillé en rouge, les cheveux roux et une longue cicatrice sur le côté gauche du visage.

Je n'ai pas réagi. J'en étais incapable. J'ai fixé mes pieds et serré les mains.

— Il y a un autre truc bizarre aussi. L'infirmière qui m'a découvert après mon réveil jure qu'il y avait deux personnes dans ma chambre. Un homme et un garçon. À en croire les médecins, son esprit lui a joué un tour. Bref, pour eux, ça n'a aucune importance, mais c'est quand même space, tu ne trouves pas ?

— Super space, ai-je acquiescé sans pouvoir le regarder en face.

Les jours suivants, j'ai remarqué les premiers changements chez moi. Le soir, j'avais du mal à m'endormir et, la nuit, je me réveillais sans arrêt. Mon ouïe s'était améliorée. À tel point que j'entendais les conversations de très loin. À l'école, je pouvais capter ce qui se disait deux classes plus loin que la nôtre.

Ma forme physique s'est considérablement améliorée. À la récré et le midi, je courais sans jamais transpirer. Personne n'arrivait à me suivre. En plus, j'avais gagné en agilité. Je faisais ce que je voulais du ballon de foot, driblant mes adversaires à volonté. Le jeudi, j'ai mis seize buts.

Ma force, elle aussi, était décuplée. À présent, je parvenais à faire des tractions et des pompes à l'infini. Je n'avais pas de nouveaux muscles – du moins pas à ce que je sache –, c'est juste leur puissance qui était inédite. Je devais encore la tester, mais quelque chose me disait qu'elle était immense.

En dépit de mes tentatives, dissimuler mes nouveaux talents n'était pas facile. Je justifiais la course à pied et mes qualités de joueur de foot en racontant que je m'entraînais bien plus qu'avant. Le reste était plus délicat à expliquer.

Comme lorsque la cloche a sonné le jeudi, à la fin de la récré du midi. Le gardien – celui à qui j'avais mis seize buts dans la vue – venait de frapper dans le ballon. Ce dernier se dirigeait droit sur moi, alors j'ai tendu la main droite pour l'attraper. Je l'ai eu... sauf que, en serrant, mes ongles se sont enfoncés dedans et l'ont fait éclater !

Le soir même, à table, j'étais distrait. J'écoutais nos voisins d'à côté se disputer tout en mangeant mes saucisses-frites. À un moment donné, j'ai trouvé la nourriture vachement plus dure et me suis aperçu que je mâchais des morceaux de fourchette ! Heureusement, personne n'a rien remarqué et j'ai pu la jeter à la poubelle pendant la vaisselle.

Steve a téléphoné ce soir-là. Il venait de sortir de l'hôpital. Il était censé se reposer quelques jours avant de revenir à l'école, après le week-end, mais il m'a dit qu'il s'ennuyait à mourir et qu'il avait persuadé sa mère de le laisser reprendre les cours le lendemain.

— Toi, Steve Leopard, tu *veux* revenir à l'école ?

— Je sais, c'est bizarre, hein ? (Il a ri, amusé.) En général, je serais plutôt du genre à chercher une excuse pour ne pas y aller, mais t'as pas idée de ce que c'est chiant de rester enfermé tout seul, toute la journée. Les deux premiers jours, c'était marrant, mais après... Pfffff !

J'avais envisagé de raconter la vérité à Steve, seulement je n'étais pas certain de la façon dont il prendrait les choses. Après tout, c'est lui qui avait voulu devenir un vampire. Je doutais que ça lui plaise d'apprendre que Mr Crepsley m'avait choisi à sa place.

Quant à le dire à Annie, c'était hors de question. Elle n'avait plus reparlé de Madame Octa depuis la guérison de mon ami. Pourtant, je la surprenais souvent à me regarder. J'ignore ce qui lui passait par la tête à ces moments. D'après moi, ça devait être quelque chose dans le genre « Steve s'en est sorti. Mais pas grâce à *toi*. Tu as eu l'occasion de le sauver, mais tu ne l'as pas fait. Tu as menti et mis sa vie en danger rien que pour t'éviter des ennuis. Aurais-tu réagi pareil avec moi ? »

Il n'y en a eu que pour Steve ce vendredi-là. Tous les élèves de notre classe, agglutinés autour de lui, mouraient d'envie de connaître les détails de son histoire. Ils voulaient savoir ce qui l'avait empoisonné, comment il avait survécu, comment c'était l'hôpital, si on l'avait opéré, s'il avait des cicatrices, j'en passe.

— Je ne sais pas ce qui m'a mordu. J'étais dans la chambre de Darren, assis près de la fenêtre. J'ai entendu du bruit, mais avant que j'aie pu voir ce que c'était, j'ai été mordu et je suis tombé dans les pommes.

On avait mis cette version au point lors de ma visite à l'hôpital.

Le même jour, à l'école, j'ai passé la matinée à jeter des regards dans tous les coins de la classe. Je ne me sentais pas à ma place. Tout ça n'avait aucun sens. « Je n'ai rien à faire ici », me disais-je. « Je ne suis plus un garçon comme les autres. C'est dehors, à servir d'assistant à Mr Crepsley, que je devrais être. À quoi bon, maintenant, apprendre l'anglais, l'histoire et la géographie ? Ça ne me concerne plus. »

Tommy et Alan ont parlé de mes prodiges en foot à Steve.

— C'est un vrai bolide, ces jours-ci, a commenté Alan.

— Et quand il joue, on dirait Pelé, a ajouté Tommy.

— Ah ouais ? (Steve m'a regardé bizarrement.) Ça vient d'où, tous ces changements, Darren ?

— Quels changements ? J'ai juste du bol en ce moment. C'est tout.

— Allez, fais pas ton modeste ! s'est moqué Tommy. Mr Dalton a dit qu'il allait peut-être le proposer comme joueur dans l'équipe des moins de dix-sept ans. Vous vous rendez compte ? Personne de notre âge n'a jamais joué dans l'équipe des moins de dix-sept ans !

— C'est vrai, a acquiescé Steve, l'air songeur. Personne...

— Ça c'est ce que Dalton dit, ai-je tenté de minimiser les choses.

— Peut-être... mais peut-être *pas*, a conclu Steve.

Le midi, j'ai fait exprès de mal jouer. C'était évident que Steve se méfiait. Je ne crois pas qu'il savait ce qui se passait exactement, mais il sentait qu'il y avait quelque chose de différent chez moi. J'ai couru lentement et raté des occasions de marquer que, même sans mes nouveaux pouvoirs, j'aurais enchaînées sans problème.

Mon plan a fonctionné. Vers la fin de la partie, mon copain avait renoncé à étudier chacun de mes gestes et il s'était remis à plaisanter avec moi. Sauf que là, il s'est passé un truc qui a tout fait foirer.

Alan et moi, on courait après le ballon. Il n'aurait pas dû essayer de l'attraper étant donné que j'étais plus près. Seulement Alan étant le plus jeune d'entre nous, il faisait parfois des choses débiles. J'ai failli lui laisser la place, mais j'en avais marre de faire semblant de jouer comme un pied.

La récré était presque finie et j'avais envie de mettre au moins un but. Alan a poussé un cri et fait un vol plané. J'ai rigolé en le voyant se planter, puis j'ai repris le ballon, direction les buts adverses.

C'est à ce moment-là que j'ai vu le sang et me suis arrêté net.

Alan avait mal atterri et s'était coupé le genou gauche. L'entaille était profonde. Ça pissait le sang. En train de pleurer, mon copain ne se souciait pas de couvrir la plaie avec un mouchoir ou un bout de tissu.

Quelqu'un s'est emparé du ballon à mon pied. Je n'ai pas réagi. J'avais les yeux rivés à Alan. À son genou, pour être plus précis. Ou, pour être encore plus précis, au sang qui coulait sur lui.

Pas à pas, je l'ai rejoint. Debout à son côté, je lui cachais la lumière. En levant les yeux, il a dû se dire que je faisais une drôle de tête car il a aussitôt cessé de pleurer et m'a fixé avec inquiétude.

Je suis tombé à genoux et, avant de comprendre ce qui se passait, j'ai couvert de ma bouche la blessure sur sa jambe et aspiré le sang pour l'avaler !

Ça a duré quelques secondes. Les yeux fermés, je sentais le sang remplir ma bouche. J'aimais son goût. J'ignore si j'aurais bu encore longtemps ou même fini par faire mal à Alan. Par chance, je n'ai pas eu le temps de trouver réponses à mes questions.

Sentant la présence d'élèves autour de moi, j'ai ouvert les yeux. Presque tous les joueurs s'étaient figés et me dévisageaient, horrifiés. J'ai décollé mes lèvres du genou de mon copain, considéré l'attroupement et songé « comment je vais faire pour leur expliquer ça ? ».

Soudain, j'ai eu un éclair de génie, bondi sur mes pieds et ouvert grand les bras :

— C'est moi, le Seigneur des vampires. Je règne sur les morts-vivants ! Gare à vous : je vais vous sucer le sang !

Le premier choc passé, ils se sont mis à rigoler. Ils avaient marché. Ils avaient cru à ma blague de vampire.

— T'es cinglé, Shan, s'est élevée une voix.

— C'est dégoûtant ! a crié une fille tandis que du sang frais gouttait de mon menton. On devrait t'enfermer.

La cloche a sonné et nous sommes rentrés en cours. J'étais plutôt content de moi, certain d'avoir roulé tout le monde. Mais là, quelqu'un, en marge de la foule, a attiré mon attention et ma joie s'est évanouie. C'était Steve. Sur son visage sombre, je pouvais lire qu'il n'était pas tombé dans le panneau. Il savait parfaitement ce qui s'était passé.

Il avait tout compris.

28.

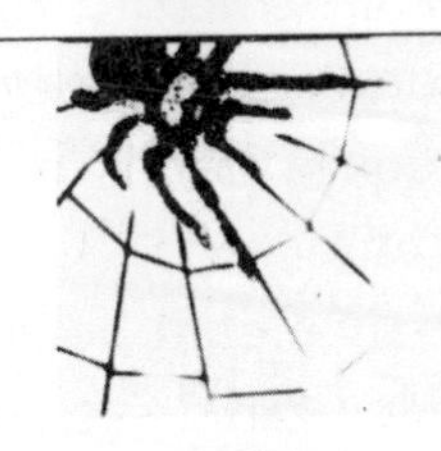

À la sortie, je l'ai évité et me suis empressé de rentrer à la maison. J'étais paumé. Pourquoi avais-je attaqué Alan ? Je ne voulais boire le sang de personne. Alors comment se faisait-il que je lui aie sauté dessus telle une bête sauvage ? Et si ça recommençait... et que, cette fois-là, il n'y avait personne autour pour m'empêcher de boire jusqu'à...

Non, c'était ridicule. La vue du sang m'avait pris par surprise, rien de plus. Ça me servirait de leçon. La prochaine fois, je saurais me contrôler.

Dans la bouche, j'avais encore le goût du sang. Je suis allé me la rincer plusieurs fois de suite dans la salle de bains, puis me suis brossé les dents.

J'ai examiné mon reflet dans le miroir. Mon visage n'avait pas changé. Mes dents n'étaient ni plus longues ni plus pointues qu'avant. Mes yeux, mes oreilles étaient les mêmes. Je n'avais pas de muscles en plus, pas grandi de plusieurs centimètres ni hérité de nouvelles touffes de cheveux. La seule différence visible à l'œil nu, c'était mes ongles, qui avaient durci et foncé.

Alors pourquoi me comportais-je aussi bizarrement ?

J'ai fait crisser un de mes ongles sur le miroir. Il allait falloir que je fasse attention où je mettais les doigts !

Hormis concernant ma réaction avec Alan, je me sentais

plutôt bien. En fait, plus j'y pensais, moins la situation me paraissait épouvantable. D'accord, ça me prendrait un bon bout de temps pour devenir adulte et il faudrait que je fasse super attention dès que je verrais du sang. Deux mauvaises nouvelles, c'était certain.

Mais autrement, la vie était belle. J'étais plus fort que tous mes copains, plus rapide et en meilleure forme. Je pourrais devenir sprinteur, boxeur ou joueur de football. Mon âge me désavantagerait. Mon talent, cependant, ferait la différence.

Imaginez : un vampire joueur de foot professionnel ! J'allais gagner des millions. Je passerais à la télé, des gens écriraient des bouquins sur moi, on ferait un film sur l'histoire de ma vie et, si ça se trouve, on me demanderait d'enregistrer un disque avec un groupe célèbre. Je pourrais peut-être décrocher un job de cascadeur au cinéma et servir de doublure à des enfants acteurs. Ou alors...

Mon flot de pensées a été interrompu par quelqu'un qui frappait à la porte.

— Oui ?

— C'est Annie. Tu as fini ? Ça fait une éternité que j'attends la salle de bains.

— Entre. J'ai terminé.

Elle s'est exécutée.

— Tu t'admires encore dans la glace ?

— Bien sûr. (J'ai souri jusqu'aux oreilles.) C'est naturel quand on a mon physique, non ?

— Moi, si j'avais ta tête, je fuirais les miroirs, a-t-elle gloussé.

Une serviette enroulée autour d'elle, elle a ouvert les robinets de la baignoire et passé sa main sous le jet d'eau pour vérifier qu'elle n'était pas trop chaude. Après, elle s'est assise sur le bord de la baignoire et m'a dévisagé.

— T'as l'air bizarre.

— Qu'est-ce que tu racontes ! (J'ai jeté un œil dans la glace.) Tu trouves ?

— Oui. J'ai du mal à l'expliquer mais il y a un truc qui a changé.

— Il faut toujours que tu te fasses des films. Je suis pareil qu'avant.

— Je t'assure. (Elle a secoué la tête.) Tu...

La baignoire prête à déborder, elle s'est retournée pour couper l'eau. Tandis qu'elle se tenait pliée vers l'avant, mon regard s'est fixé sur la courbe de sa nuque et ma bouche est devenue sèche tout à coup.

— Je disais donc que tu as l'air... a-t-elle commencé en se tournant vers moi.

La seconde où elle a vu mes yeux, elle s'est figée.

— Darren ? m'a-t-elle interpellé nerveusement. Darren, qu'est-ce que tu...

D'un geste de la main, je l'ai fait taire. Les yeux écarquillés, elle fixait en silence mes doigts que je déplaçais lentement d'un côté puis de l'autre avant de dessiner des cercles avec. Sans savoir comment, je l'avais hypnotisée !

— Viens ici, ai-je grogné d'une voix plus grave que d'habitude.

Ma sœur s'est levée. Elle avançait à la façon d'une somnambule, le regard vide, les membres raides.

Quand elle a été postée devant moi, j'ai suivi le dessin de son cou avec ma main. La respiration sifflante, j'avais l'impression de voir ma sœur au travers d'un voile brumeux. Au ralenti, j'ai passé ma langue sur mes lèvres. Mon estomac gargouillait. La salle de bains me faisait l'effet d'un four. Sur le visage d'Annie coulaient des perles de sueur.

J'ai tourné autour d'elle sans jamais perdre le contact avec sa peau. Sous mes doigts, je sentais battre ses veines. J'ai appuyé sur l'une d'elles, à la base de sa nuque. Autour de mon doigt, la veine est ressortie, bleue, magnifique, s'offrant à moi pour que je l'arrache et la vide de son sang.

Les dents découvertes, mâchoires grandes ouvertes, je me suis approché.

Au dernier moment, alors que mes lèvres se posaient sur sa nuque, j'ai aperçu mon reflet dans le miroir. Par bonheur, cette image a suffi à m'arrêter !

Face à moi, un masque crispé dans une étrange grimace, troué de deux yeux rouges et de rides profondes, m'adressait un sourire méchant. J'ai levé la tête pour mieux voir. C'était bien moi. Et d'un autre côté, pas. Deux personnes différentes dans un seul et même corps : un garçon ordinaire et une créature de la nuit, bestiale, sauvage.

À force de regarder, l'horrible masque a disparu, le désir de m'abreuver de sang avec lui. Je fixais Annie avec horreur. J'avais failli la mordre ! Ma propre sœur m'avait pratiquement servie de dîner.

Je me suis écarté d'elle en criant, les mains plaquées sur le visage, de peur de ce que je pourrais encore voir dans la glace. Annie a chancelé vers l'arrière, jetant des regards hébétés tout autour.

— Qu'est-ce qui se passe ? Je me sens bizarre. J'étais venue me faire couler un bain. Est-ce qu'il est prêt ?

— Oui, ton bain est prêt, ai-je répondu tout bas.

Moi aussi. J'étais prêt à assumer mon rôle de vampire !

— Je te laisse, ai-je dit en quittant la pièce.

Dans le couloir, je me suis effondré contre le mur. Je suis resté là plusieurs minutes, inspirant profondément pour me calmer.

Ma soif de sang était incontrôlable. Je n'allais pas pouvoir la surmonter. Je n'avais même plus besoin de voir du sang couler pour réveiller le monstre en moi. Le simple fait de l'imaginer suffisait.

Les jambes coupées, j'ai péniblement rejoint ma chambre où je me suis affalé sur mon lit. Je me suis mis à pleurer sur mon sort, sur ma vie en tant qu'humain qui venait de toucher à sa fin. Le bon vieux Darren Shan, c'était du passé. Le vampire en moi prenait peu à peu le dessus. Un jour ou l'autre, il me pousserait à faire quelque chose de terrible. Comme tuer Maman, Papa ou Annie.

C'était impossible. Il fallait empêcher ça. Si ma vie n'avait plus d'importance, celle de mes amis et de ma famille comptait énormément pour moi. Pour leur bien, il faudrait que je m'en aille loin d'eux, dans un endroit où je ne risquais pas de leur faire du mal.

J'ai attendu que la nuit tombe pour partir. Cette fois-ci, je n'ai pas patienté le temps que mes parents s'endorment. Je préférais ne pas prendre le risque car je savais pertinemment que l'un d'eux viendrait me dire bonne nuit avant d'aller au lit. Je voyais d'ici le tableau : ma mère, penchée pour m'embrasser, qui avait le choc de sa vie au moment où je lui plantais mes canines dans le cou.

Je n'ai pas laissé de mot ni rien emporté avec moi non plus, incapable de songer à ce genre de détails. Tout ce à quoi je pensais, c'était que je devais me tirer d'ici. Et le plus tôt serait le mieux.

J'ai marché à vive allure et rejoint le théâtre en peu de

temps. Il ne me semblait plus effrayant. Je m'y étais habitué. Qui plus est, les vampires ne craignent pas les bâtiments sombres et hantés.

Mr Crepsley m'attendait derrière la porte d'entrée.

— Je t'ai entendu arriver. Tu es resté parmi les humains plus longtemps que je n'aurais cru.

— J'ai sucé le sang d'un de mes meilleurs copains et presque mordu ma sœur.

— Tu t'en sors plutôt bien. La plupart des vampires tuent un de leurs proches avant de se rendre compte qu'ils sont perdus.

— Il n'y a aucun moyen de revenir en arrière ? l'ai-je interrogé avec tristesse. Pas de potion magique pour me rendre à nouveau humain ou m'empêcher de m'en prendre aux gens ?

— La seule chose qui peut t'arrêter à présent, c'est le bon vieux pieu dans le cœur.

— Puisque c'est comme ça... ai-je soupiré, je suis tout à vous. Je ne m'enfuirai plus. Ça ne me plaît pas, mais je n'ai vraiment plus le choix.

Tout doucement, il a hoché la tête.

— Tu ne vas sûrement pas me croire, mais je sais ce que tu ressens et je suis désolé. Seulement, là n'est pas la question. Il n'y a pas de temps à perdre. Suis-moi, Darren Shan. (Il m'a pris par la main.) Il nous reste fort à faire avant que tu entres officiellement à mon service.

— Quoi par exemple ? ai-je relevé, confus.

Il a souri d'un air plein de ruse.

— Te tuer, pour commencer.

29.

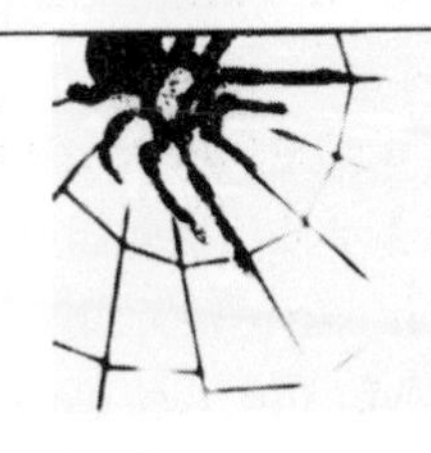

J'ai passé mon dernier week-end à dire des au revoir silencieux, y compris à chacun de mes endroits préférés : la bibliothèque, la piscine, le cinéma, les parcs de la ville, le terrain de football. J'y suis allé avec Maman ou Papa, Alan Morris ou Tommy Jones, selon le cas. J'aurais bien aimé passer du temps avec Steve, sauf que j'étais incapable de me retrouver face à lui.

Parfois, j'avais le sentiment d'être suivi. Les cheveux dans ma nuque se hérissaient. Sauf que chaque fois que je me retournais, il n'y avait personne. J'ai fini par me dire que c'était mon imagination qui me jouait des tours parce que j'étais hyper nerveux.

Chaque minute passée avec ma famille et mes amis a compté comme jamais. J'observais de près leurs visages, enregistrais leurs voix dans ma mémoire. Je savais que c'était la toute dernière fois que je les voyais et cette pensée me brisait le cœur. Malheureusement, il n'y avait pas d'autre solution. Pas de retour en arrière possible.

Ce week-end-là, ils pouvaient faire tout ce qu'ils voulaient. Les baisers de Maman ne m'ont pas gêné, les ordres de Papa ne m'ont pas embêté, les blagues débiles d'Alan pas agacé.

J'ai passé plus de temps avec Annie qu'avec n'importe

qui d'autre. C'est elle qui me manquerait le plus. Je l'ai portée à quatre pattes sur mon dos, lui ai fait faire l'avion. Je l'ai emmenée au foot avec Tommy. J'ai même joué à la poupée avec elle !

Par moments, je sentais les larmes monter. En regardant Maman, Papa ou Annie, je me rendais compte à quel point je les aimais. Ma vie, sans eux, me semblerait vide. Dans des moments pareils, je devais détourner le regard et prendre de grandes inspirations. Une ou deux fois, ça n'a pas marché et j'ai dû partir en vitesse pleurer en cachette.

D'après moi, ils ont compris que quelque chose n'allait pas. Le samedi soir, Maman est restée longtemps dans ma chambre à me border, me raconter des histoires, à m'écouter parler. Cela faisait des années que ça ne nous était pas arrivé. Quand elle est partie, la tristesse de n'avoir pas passé plus de soirées comme celle-là, rien qu'avec elle, m'a envahi.

Le lendemain matin, Papa a voulu savoir s'il y avait quelque chose dont je voulais discuter avec lui. Il a dit que j'étais en train de devenir un jeune homme et que je devrais m'attendre à ressentir de nombreux changements. Il comprendrait que j'aie des sautes d'humeur ou besoin d'être seul, m'a-t-il promis. Mais il serait toujours là pour moi.

« *Tu* seras là, mais moi pas ! » ai-je pensé, pris d'une redoutable envie de pleurer. À la place, je suis resté calme, ai hoché la tête et l'ai remercié.

J'ai été le plus sage possible. Pour faire bonne impression et qu'ils se souviennent de moi comme d'un bon fils, frère et ami. Je tenais à partir en paix avec tout le monde.

Mon père avait prévu de nous emmener au restaurant le dimanche soir, mais j'ai demandé à rester à la maison. C'était mon dernier repas en famille. Je voulais qu'il soit parfait. Lorsque je regarderais en arrière des années après, j'avais envie de garder cette image de nous ensemble, à la maison : une famille heureuse, unie.

Maman a cuisiné mon repas préféré : du poulet avec des pommes de terre au four et du maïs en épi. Annie et moi, on a bu du jus d'orange pressée tandis que nos parents partageaient une bouteille de vin. En dessert, on a mangé du cheesecake à la fraise. Tout le monde était de bonne humeur. On a même chanté des chansons. Papa a sorti ses célèbres blagues, toujours aussi mauvaises. Maman a tapoté un petit air avec deux cuillers. Annie a récité quelques poèmes et, finalement, on a joué tous les quatre aux charades.

J'aurais voulu que cette journée ne finisse jamais. Évidemment, ce n'était pas possible : on n'empêche pas le soleil de se coucher. Ni l'obscurité de s'emparer peu à peu du ciel.

Au bout d'un moment, Papa a levé le nez et jeté un œil à sa montre.

— C'est l'heure d'aller au lit. Il y a école demain.

« Non, me suis-je dit. Pas pour moi. Plus jamais. » Cette pensée aurait dû me remonter le moral sauf qu'elle signifiait : plus de Mr Dalton, plus de copains, plus de matchs de foot, plus de voyages scolaires.

J'ai repoussé au maximum le moment d'aller me coucher, me déshabillant au ralenti et enfilant mon pyjama à la même vitesse. Dans la salle de bains, j'ai été encore plus lent à me laver les mains, le visage et les dents. Alors, quand il a été impossible de reculer encore, je suis descendu au salon où mes parents étaient en pleine conversation. Ensemble, ils ont tourné la tête, surpris de me voir.

— Tout va bien, Darren ? m'a interrogé ma mère.

— Oui, oui.

— Tu n'es pas malade au moins ?

— Je vais très bien. Je voulais juste vous dire bonne nuit.

J'ai passé les bras autour du cou de Papa et lui ai fait un bisou sur la joue. Même chose avec Maman.

— Bonne nuit, ai-je conclu.

— Il est à mettre dans les annales, celui-là ! a rigolé mon père pendant qu'il se frottait la joue. Depuis combien de temps est-ce qu'on n'a pas eu droit à ça, Angie ?

— Trop longtemps, a-t-elle répondu.

Elle a souri et m'a caressé les cheveux.

— Je vous aime. Je sais que je ne vous l'ai pas dit souvent, leur ai-je déclaré, mais je vous aime très fort et je vous aimerai toujours.

— On t'aime aussi, mon chéri. Pas vrai, Dermot ?

— Bien sûr que si.

— Alors dis-lui, a insisté Maman.

Papa a poussé un soupir.

— Je t'aime, Darren.

Là il a levé les yeux au ciel pour me faire rire, puis il m'a pris dans ses bras.

— Je t'aime, a-t-il répété, sérieusement cette fois.

Je les ai laissés tous les deux, mais je suis resté debout, caché derrière la porte à les écouter parler.

— Je me demande en quel honneur il nous a fait cette déclaration, a réagi Maman.

— Pffff, va savoir ! Il s'en passe des trucs dans la tête des enfants.

— Il se trame quelque chose, a repris ma mère. Il se comporte de façon étrange depuis quelque temps.

— Il a peut-être une copine.

— Peut-être, a-t-elle terminé sans pour autant avoir l'air convaincu.

Assez traîné ! Si je restais plus longtemps, je craignais de débouler dans le salon pour leur cracher le morceau. Dans ce cas-là, ils m'empêcheraient de mener à bien le plan de Mr Crepsley. Ils diraient que les vampires n'existent pas et feraient tout pour me garder auprès d'eux en dépit du danger.

Mais il me suffisait de repenser à ma sœur, que j'avais failli mordre, pour me convaincre de ne pas les laisser m'arrêter.

Les pieds lourds, je suis monté dans ma chambre. Il faisait doux cette nuit-là ; j'avais laissé ma fenêtre ouverte. Un détail qui avait son importance.

Mr Crepsley attendait dans le placard. Dès qu'il m'a entendu refermer la porte, il est sorti.

— On étouffe là-dedans, s'est-il plaint. Pauvre Madame Octa, coincée dans ce trou pendant si…

— La ferme ! l'ai-je coupé.

— Inutile d'être grossier. (Il a fait la moue.) Simple commentaire.

— Je me passe de vos commentaires. Cet endroit ne vous plaît peut-être pas, mais moi, c'est ma maison. J'ai grandi ici. Et après ce soir, je n'y mettrai plus jamais les pieds. Je vous interdis de gâcher ma dernière soirée en disant du mal.

— Désolé.

Lentement, j'ai balayé la pièce du regard avant de soupirer tristement. De sous le lit, j'ai sorti un sac que j'ai tendu à Mr Crepsley.

— De quoi s'agit-il ? a-t-il voulu savoir, suspicieux.

— Des trucs persos : mon journal, une photo de ma famille, deux ou trois autres choses. Personne ne s'apercevra qu'ils ont disparu. Vous voulez bien me les garder ?

— Oui.

— Mais vous promettez de ne pas regarder, hein ?

— Les vampires n'ont pas de secrets les uns pour les autres.

En voyant ma tête, cependant, il a haussé les épaules.

— Entendu. Je ne regarderai pas.

— Bon, ai-je commencé en prenant une grande inspiration, vous avez la potion ?

Il a acquiescé et m'a donné une petite bouteille foncée. J'ai jeté un œil dedans. La potion, sombre, épaisse, empestait.

Derrière moi, Mr Crepsley a entouré mon cou de ses mains.

— Vous êtes sûr que ça va marcher ? l'ai-je interrogé, nerveux.

— Fais-moi confiance.

— J'ai toujours cru que lorsqu'on se brisait le cou, on ne pouvait plus ni marcher ni bouger.

— Non, non. Ce ne sont pas les os du cou le problème. C'est si la moelle épinière, dans la colonne vertébrale, est rompue qu'on est paralysé. Je ferai bien attention.

— Et les docteurs ? Ils ne vont pas trouver ça bizarre ?

— Ils n'iront pas voir. La potion va tellement ralentir

ton cœur qu'ils penseront que tu es mort. Ils verront ton cou brisé et feront le rapprochement. Si tu étais plus vieux, ils feraient peut-être une autopsie. Mais aucun médecin n'aime ouvrir un enfant de haut en bas.

— Tu as bien compris ce qui va se passer et ce qu'il faut que tu fasses ? a-t-il poursuivi.

— Oui.

— Il n'y a pas de place à l'erreur, m'a-t-il averti. Au moindre faux pas, notre plan tombe à l'eau.

— Je ne suis pas stupide ! Je sais ce que j'ai à faire.

— Alors, fais-le.

Sur ces mots, j'ai avalé le contenu du flacon dans un geste furieux. Le goût m'a fait grimacer et j'ai frissonné en sentant mon corps se raidir. Ce n'était pas vraiment douloureux. Plutôt un genre de vague glaciale qui se propageait dans mes os et mes veines. Je n'ai pas pu m'empêcher de claquer des dents.

Ça a pris une dizaine de minutes au poison pour agir. Passé ce délai, je ne pouvais plus bouger les bras ni les jambes. Mes poumons avaient cessé de fonctionner (enfin... pas vraiment, mais ils étaient super, super lents) et mon cœur s'était arrêté (encore une fois, pas complètement, mais assez pour que ses battements soient imperceptibles).

— Je vais te casser le cou maintenant, a prévenu Mr Crepsley.

Là, j'ai entendu un crac tandis qu'il tirait sur ma tête d'un coup sec. Je n'ai rien senti : tous mes sens étaient morts.

— Voilà, ça devrait suffire, a-t-il commenté. À présent, je vais te jeter par la fenêtre.

Il m'a porté jusque-là puis il est resté près de l'ouverture un moment, à humer l'air de la nuit.

— Je dois te jeter suffisamment fort pour que ça paraisse vrai. Il se peut que tu te brises quelques os lors de la chute. Tu commenceras à avoir mal au fur et à mesure que l'effet de la potion disparaît, dans quelques jours, mais je m'en occuperai après. Nous y voilà !

Il m'a pris dans ses bras et a marqué une courte pause avant de me lancer dehors.

La façade de la maison, sous mes yeux, a filé à toute allure alors que je tombais violemment sur le dos. Les paupières ouvertes, je fixais un tuyau au pied de la maison.

Je suis resté là un moment, l'oreille tendue, à l'affût de la première personne qui me remarquerait. Finalement, un voisin qui passait par là m'a repéré et s'est approché. Je ne voyais pas son visage. Par contre, j'ai entendu son cri lorsqu'il a découvert mon corps sans vie.

Il a contourné la maison en courant et martelé la porte d'entrée pour appeler mes parents. Je les entendais parler pendant qu'il les conduisait jusqu'à moi : ils croyaient à une farce ou une erreur. Mon père martelait le sol et râlait dans sa barbe.

Les bruits de pas ont cessé à l'instant où ils ont tourné au coin de la maison et m'ont aperçu. Pendant un long, atrocement long moment, le silence a régné. Alors, Maman et Papa se sont précipités vers moi et m'ont enlacé.

— Darren ! a hurlé ma mère, en me pressant très fort contre elle.

— Lâche-le, Angie, s'est écrié Papa en m'arrachant à elle pour m'étendre par terre.

— Qu'est-ce qu'il a, Dermot ? a-t-elle gémi.

— Je ne sais pas. Il a dû tomber.

Mon père s'est relevé. Il a considéré la fenêtre ouverte de ma chambre, les poings serrés.

— Il ne bouge pas. (Maman m'a empoigné et m'a secoué vigoureusement.) Il ne bouge plus ! a-t-elle crié. Il ne…

Une fois de plus, Papa l'a fait lâcher prise. D'un signe au voisin, il lui a demandé de s'approcher et lui a confié Maman.

— Emmenez-la à l'intérieur. Appelez une ambulance. Je reste ici pour veiller sur Darren, a-t-il expliqué en gardant son calme.

— Est-ce qu'il est… mort ? a interrogé l'homme.

En entendant ce mot, ma mère a poussé un gémissement terrible et enfoui son visage dans ses mains.

Papa a tout doucement secoué la tête.

— Non. (Il a pressé l'épaule de Maman.) Il est juste paralysé, comme son ami.

Elle a baissé les mains.

— Comme Steve ? a-t-elle relevé avec espoir.

— Oui. (Il a souri.) Et tu verras qu'il va s'en sortir aussi bien que lui. Maintenant, va chercher de l'aide, OK ?

Maman a acquiescé et couru vers la maison avec le voisin. Mon père a conservé son sourire jusqu'à ce qu'elle soit hors de vue, puis il s'est penché sur moi pour examiner mes yeux et prendre mon pouls. Comme je ne montrais aucun signe de vie, il m'a reposé, a écarté une mèche de cheveux de mes yeux et là, il a fait quelque chose que je n'aurais jamais cru.

Il s'est mis à pleurer.

Et c'est ainsi que j'ai dû assumer mon triste sort : la mort.

30.

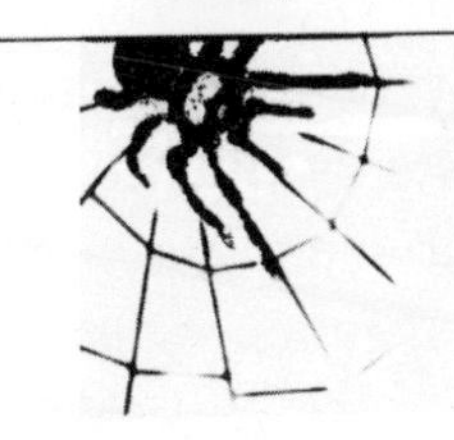

Il n'a pas fallu longtemps aux médecins pour rendre leur verdict. Sans respiration ni pouls ni mouvement, le diagnostic ne faisait pas l'ombre d'un doute.

Le pire, c'était de pouvoir suivre tout ce qui se passait autour de moi. Je regrettais de n'avoir pas demandé à Mr Crepsley une autre potion qui m'aurait endormi. Les pleurs de Papa et Maman étaient insupportables, tout comme entendre Annie hurler pour que je revienne.

Après quelques heures, le défilé des proches de la famille a débuté avec son concert de sanglots et de gémissements.

J'aurais donné cher pour échapper à ça. En fuyant avec Mr Crepsley au beau milieu de la nuit par exemple. Cependant, il m'avait expliqué que ce n'était pas possible.

— Si tu disparais, ils vont partir à ta recherche. Il y aura des affiches partout, des photos de toi dans les journaux et les postes de police. On n'aura jamais la paix.

Simuler mon décès était donc la seule solution, l'unique passeport pour la liberté : mort et enterré, on ne viendrait pas me chercher.

Seulement, face à tant de tristesse, j'en étais arrivé à nous maudire, mon maître et moi. Je n'aurais pas dû leur infliger ça !

Le bon côté des choses, c'est qu'au moins, après, ce serait

fini. Ils seraient malheureux pendant un temps, mais ça passerait (je l'espérais en tout cas). Si j'avais pris la fuite, leur supplice aurait peut-être duré pour toujours. Ils auraient passé le reste de leur vie à nourrir l'espoir que je revienne, à me chercher en vain.

Le type des pompes funèbres est arrivé et il a ordonné à tous les visiteurs de sortir de la pièce. Assisté d'une infirmière, il m'a déshabillé et examiné. Étant donné que je commençais à retrouver certaines sensations, je pouvais sentir ses mains froides sur mon corps là où il enfonçait ses doigts ou me donnait de petits coups.

— Il est en très bon état, a-t-il annoncé à voix basse à son assistante. Ferme, frais et sans marque. Je vais avoir très peu de travail à faire sur celui-là. Un peu de rouge à joues pour lui redonner des couleurs, c'est tout.

Il a relevé mes paupières. C'était un homme potelé à l'apparence joviale. Je redoutais qu'il ne remarque un signe de vie dans mes yeux, mais non. Il s'est contenté de bouger délicatement ma tête d'un côté puis de l'autre, ce qui a fait craquer les os de mon cou.

— La vie ne tient qu'à un fil, a-t-il soupiré avant de poursuivre son examen.

Ils m'ont ramené à la maison cette nuit-là. Dans le salon, on m'a allongé sur une longue table recouverte d'un grand tissu où les gens pourraient venir me dire adieu.

C'était super bizarre d'entendre tout le monde parler de moi comme si je n'étais pas là. Ils évoquaient ma vie, le bébé, le gentil garçon que j'avais été et quel homme bon je serais devenu en grandissant.

J'imagine le choc qu'ils auraient eu si je m'étais redressé dans un bond en criant : Bou !

Je trouvais le temps terriblement long, obligé de rester des heures et des heures sans bouger, sans pouvoir rire ni me gratter le nez. À cause de mes yeux fermés, je ne pouvais même pas fixer le plafond !

Étant donné que mes sensations revenaient, je devais redoubler de vigilance. Mr Crepsley m'avait prévenu que je ressentirais des fourmillements et des démangeaisons bien avant que les effets de la potion se soient totalement dissipés. J'étais toujours incapable de bouger, mais avec beaucoup d'effort, j'aurais pu remuer légèrement et me trahir.

Ce besoin de me gratter me rendait fou. J'ai essayé de l'ignorer, mais c'était impossible. J'avais des fourmis partout. L'impression d'être tombé dans une fourmilière pour de vrai. Le pire, c'était au niveau de la tête et du cou, là où mes os s'étaient rompus.

Les visiteurs ont finalement commencé à s'en aller. Il devait être tard car le salon s'est très vite vidé pour devenir complètement silencieux. Après toute cette agitation, j'appréciais un peu de calme.

Soudain, j'ai entendu un bruit.

Quelqu'un a ouvert la porte. Délicatement. Presque sans bruit.

Les bruits de pas se sont rapprochés. Près de la table, ils se sont tus. Mon sang s'est glacé dans mes veines sans que cela ait rien à voir avec la potion ! Qui était-ce ? À un moment, j'ai cru qu'il s'agissait de Mr Crepsley, mais il n'avait aucune raison de se glisser comme ça dans la maison. On s'était donné rendez-vous plus tard.

Qui qu'elle soit, cette personne prenait clairement soin

de ne pas faire de bruit. Plusieurs minutes durant, je n'ai rien entendu.

Puis j'ai senti une main sur mon visage.

Elle a levé mes paupières et dirigé le faisceau d'une petite lampe de poche en plein sur mes pupilles. Il faisait trop sombre, au salon, pour voir qui c'était. Après un grognement, l'inconnu a rabaissé mes paupières et ouvert ma bouche de force pour y déposer quelque chose sur ma langue : on aurait dit une fine couche de papier, mais au goût bizarre, amer.

Ensuite, il a enlevé les objets de ma bouche et saisi mes doigts pour en examiner le bout. Il a pris des photos.

Finalement, il m'a enfoncé un objet pointu – une aiguille, je crois – dans le corps en prenant soin d'éviter les endroits où je risquais de saigner ainsi que mes organes vitaux. Comme je n'avais pas recouvré tout l'usage de mes sens, je n'ai pas trop eu mal.

Sa mission terminée, l'inconnu m'a laissé. Le bruit de ses pas s'est éloigné tandis qu'il quittait le salon aussi précautionneusement qu'il était arrivé. Le bruit de la porte qu'on ouvre. Le bruit de la porte qu'on ferme. Et puis plus rien. Le mystérieux visiteur parti, je suis resté perplexe. Et un peu effrayé aussi.

Tôt, le lendemain matin, Papa est venu s'asseoir près de moi. Il a parlé pendant longtemps, me racontant toutes les choses qu'il avait prévues pour moi, l'université où je serais allé, le métier dans lequel il me voyait. Il a beaucoup pleuré.

Sur la fin, Maman l'a rejoint et s'est assise à côté de lui. En pleurs, dans les bras l'un de l'autre, ils ont tenté de se consoler. Ils se sont dits qu'ils avaient toujours Annie et qu'ils pouvaient peut-être avoir un autre enfant. Au moins, ma mort avait été rapide et sans douleur. Enfin, il leur restait leurs souvenirs.

Je détestais être la cause de tant de peine. J'aurais tout donné pour leur épargner ça.

Plus tard, dans la journée, mon cercueil a été livré et l'on m'a étendu dedans. Un prêtre est venu prendre place parmi la famille et les amis. Les gens allaient et venaient au salon. Il y avait du mouvement.

Annie pleurait à mon chevet. Elle me suppliait d'arrêter de les faire marcher et de me relever. Ç'aurait été bien plus facile si mes parents l'avaient laissée en dehors de tout ça, mais je suppose qu'ils ne voulaient pas qu'elle grandisse privée du sentiment d'avoir fait ses adieux à son frère.

Pour finir, on a vissé le couvercle sur mon cercueil et on l'a porté jusqu'au corbillard. On a roulé lentement en direction de l'église. Là, je n'ai pas pu entendre grand-chose. La messe terminée, ils m'ont conduit au cimetière. Cette fois-ci, j'ai suivi tout le sermon du prêtre, ainsi que tous les sanglots et les plaintes des gens en deuil.

Alors, seulement, ils m'ont enterré.

31

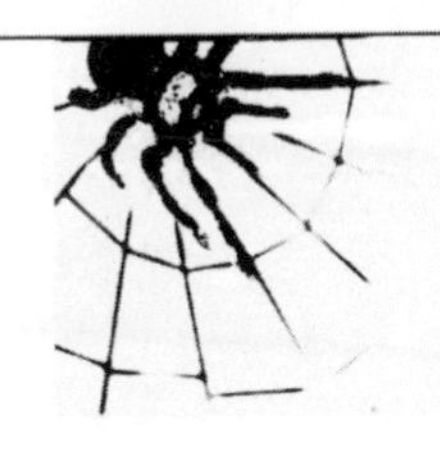

Peu à peu, tous les bruits ont été étouffés alors qu'ils me faisaient descendre dans la fosse sombre, humide et froide. J'ai senti une secousse au moment où le cercueil touchait le fond, et ensuite, le bruit de la première poignée de terre lancée sur le couvercle, tel un jet de pluie.

Un long silence a suivi jusqu'à ce que les fossoyeurs se mettent à reboucher la tombe.

Les premières pelletées m'ont fait l'effet de briques tandis qu'elles s'abattaient sur le cercueil et le secouaient dans un grand bruit sourd. Plus la fosse se remplissait de terre, plus les murmures des vivants s'évanouissaient, laissant place aux vagues bruits de martèlement des hommes qui lissaient le dessus de ma tombe, puis au silence total.

Étendu dans la pleine obscurité, je tendais l'oreille. La terre, tout autour, se tassait. J'imaginais les vers en train de ramper vers moi. On pourrait penser que c'est flippant alors qu'en fait, c'est plutôt apaisant. Ici, tout en bas, je me sentais en sécurité, à l'abri du monde extérieur.

Je me suis repassé le film des dernières semaines. Le prospectus pour le spectacle de monstres, l'étrange force qui m'avait poussé à fermer les yeux et à tendre la main pour attraper le billet, la première fois que j'avais vu le théâtre, le balcon depuis lequel j'avais épié Steve pendant qu'il parlait à Mr Crepsley.

Il s'était passé tant d'événements décisifs. Si je n'avais pas attrapé le billet, je ne serais pas ici. Si je n'étais pas allé à la représentation, je ne serais pas ici non plus. Même chose si je n'étais pas resté sur place pour voir ce que Steve tramait, si je n'avais pas volé Madame Octa ou que j'avais refusé l'offre de Mr Crepsley.

Malheureusement, les « si », ça n'avance pas à grand-chose. Ce qui était fait, était fait.

Et mieux valait, désormais, que je cesse de regarder en arrière. Place au présent et à l'avenir !

Passé quelques heures, j'ai à nouveau pu bouger. Les mains, d'abord, que j'ai serrée en poings et fait glisser de ma poitrine où le croque-mort les avait croisées. Lentement, je les ai ouvertes et fermées plusieurs fois de suite pour les dégourdir.

Ensuite, j'ai ouvert les yeux, mais ça n'a servi strictement à rien vu qu'il faisait nuit noire là-dessous.

La douleur s'est réveillée en même temps que mes sens. J'avais mal au dos à cause de ma chute par la fenêtre. Mes poumons et mon cœur, habitués à ne plus travailler, étaient douloureux eux aussi. J'avais des crampes dans les jambes et un torticolis. La seule partie de mon corps qui ne me faisait pas mal était mon gros orteil droit.

J'ai commencé à m'inquiéter de la quantité d'air dans le cercueil. Mr Crepsley m'avait expliqué que je pourrais survivre jusqu'à une semaine dans mon état comateux. Je n'avais pas besoin de manger ni d'aller aux toilettes ou de respirer. Seulement, maintenant que je m'étais remis à respirer, je me suis rendu compte du peu d'air dont je disposais et de la vitesse à laquelle je l'utilisais.

J'ai gardé mon calme. En paniquant, j'allais gaspiller l'oxygène. À la place, j'ai donc respiré paisiblement et remué le moins possible.

Impossible de deviner quelle heure il était. J'ai tenté de compter dans ma tête, mais je perdais sans arrêt le fil et devais chaque fois recommencer à zéro.

En silence, je fredonnais des chansons et me racontais des histoires. Dommage qu'ils ne m'aient pas enterré avec la télé ou une radio… Enfin, j'imagine que la demande n'est pas très forte chez les morts.

Finalement, au terme d'une attente qui m'a paru durer des siècles, j'ai entendu quelqu'un creuser.

Il pelletait plus vite que n'importe quel humain, si vite qu'on aurait dit qu'il aspirait la terre au lieu de la creuser. Il est parvenu jusqu'à moi en un temps record : moins de quinze minutes. Enfin, ce n'était pas trop tôt !

Trois fois, il a frappé sur le couvercle avant de le dévisser. Ça lui a pris quelques minutes. Alors, il a ouvert grand mon cercueil et j'ai découvert la plus belle voûte céleste que j'aie jamais vue.

J'ai inspiré profondément et me suis redressé en toussant. La nuit était passablement sombre, mais après avoir passé aussi longtemps sous la terre, j'avais la sensation d'être en plein jour.

— Tout va bien ? m'a interrogé Mr Crepsley.

— Je suis mort de fatigue ! ai-je plaisanté avec un large sourire.

Il a souri lui aussi.

— Lève-toi, que je t'examine.

J'ai grimacé en changeant de position. Il a promené ses doigts le long de mon dos, puis sur mon torse.

— Tu as de la chance : tu ne t'es rien cassé. Tu n'as que quelques hématomes.

Il est sorti de la fosse. Ensuite, il m'a tendu une main pour me hisser. J'avais des courbatures partout.

— J'ai l'impression d'être une pelote d'épingles qu'on a écrasée.

— Ça prendra deux ou trois jours pour que tu te rétablisses complètement. Mais ne t'en fais pas : tu es en pleine forme. Une chance qu'ils t'aient enterré aujourd'hui. Encore un jour et tu te sentirais bien pire.

D'un bond, il est retourné dans la fosse où il a refermé le couvercle. Après, il a empoigné sa pelle et s'est mis à reboucher le trou.

— Vous voulez que je vous aide ? lui ai-je proposé.

— Non. Tu me ralentirais. Va faire un tour pour te dégourdir les jambes. Je t'appelle quand j'ai terminé.

— Est-ce que vous avez amené mon sac ?

D'un signe de tête, il a indiqué une pierre tombale, non loin de là. Mon sac y était accroché.

Je l'ai ouvert pour voir si Mr Crepsley avait fouillé. Je ne voyais aucun signe qu'il avait violé mon intimité mais comment en être sûr ? Il ne me restait qu'à le croire sur parole. Quoi qu'il en soit, cela n'avait pas beaucoup d'importance. Il n'y avait rien, dans mon journal, qu'il ne savait déjà.

Je suis allé me balader parmi les tombes, secouant les jambes et agitant les bras parfois juste pour le plaisir. La moindre sensation – même de fourmillement – valait toujours mieux que ne rien sentir du tout.

Ma vue était meilleure que jamais : j'étais capable de lire les noms et les dates sur des tombes situées à plusieurs mètres de distance. Ça faisait partie de mes nouveaux pouvoirs. Après tout, les vampires ne passaient-ils pas toute leur vie dans le noir ? Je savais bien que je n'étais qu'un semi-vampire, mais tout le...

Tout à coup, une main a surgi de derrière une tombe, m'a couvert la bouche puis tiré par terre, là où Mr Crepsley ne me verrait pas.

J'ai secoué vivement la tête pour me libérer, prêt à hurler à la première occasion, quand j'ai vu quelque chose qui m'a coupé net dans mon élan. Mon attaquant tenait un marteau et un énorme pieu en bois dont la pointe était dirigée en plein sur mon cœur !

32

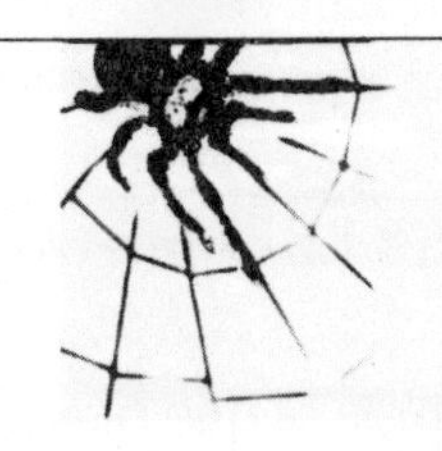

— Un geste et je t'embroche, m'a menacé l'agresseur.

Mais le contenu du message n'était rien comparé à la découverte de l'identité de mon interlocuteur.

— Steve ! l'ai-je reconnu, le souffle coupé alors que je levais les yeux du pieu à son visage.

C'était lui. Aucun doute là-dessus. Il essayait de jouer les durs, mais je voyais bien qu'il était terrifié.

— Qu'est-ce que tu…

— Pas un mot ! a-t-il soufflé en s'accroupissant derrière une colonne. Je n'ai pas envie que ton *ami* entende.

— Mon ami ? Tu veux parler de Mr Crepsley ?

— Larten Crepsley, Vur Horston, a-t-il rectifié avec mépris. Peu importe comment toi tu l'appelles, c'est un vampire. C'est ça qui me gêne.

— Qu'est-ce que tu fabriques ici ? ai-je chuchoté.

— La chasse aux vampires. (Il m'a donné un petit coup avec son pieu.) Et ce soir, j'en ai trouvé deux pour le prix d'un, on dirait !

— Écoute, ai-je rétorqué, plus agacé qu'inquiet (s'il avait eu envie de me tuer, il l'aurait déjà fait au lieu de faire la causette d'abord, comme dans les films), si tu veux m'enfoncer ce truc dans le cœur, vas-y. Si tu préfères qu'on parle, repose ce machin. J'ai déjà assez mal. Pas besoin que tu me perces en plus la poitrine !

Il m'a dévisagé un instant puis a reculé le pieu de quelques centimètres.

— Que fais-tu ici ? l'ai-je interrogé. Comment as-tu eu l'idée de venir ?

— Je t'ai suivi. Après ce que tu as fait à Alan, je ne t'ai pas lâché de tout le week-end. J'ai vu Crepsley entrer chez toi et te jeter par la fenêtre.

— C'est toi qui es venu au salon l'autre nuit !

Il a acquiescé d'un signe de tête.

— Les médecins y sont allés un peu vite pour signer ton certificat de décès. Je voulais vérifier par moi-même.

— Et le morceau de papier dans ma bouche ?

— Du papier de tournesol. Il change de couleur quand tu le poses sur une surface humide, comme la langue d'une personne *vivante* par exemple. Ça et tes marques sur les doigts m'ont mis sur la piste.

— T'es au courant pour les cicatrices au bout des doigts ?

— J'ai lu ça dans un très vieux livre. Le même dans lequel j'ai trouvé le portrait de Vur Horston en fait. Je n'avais jamais rien lu à ce sujet ailleurs, alors j'ai cru que c'était encore une de ces vieilles légendes. Seulement, lorsque j'ai examiné tes doigts et...

Il s'est interrompu, la tête penchée sur le côté. On n'entendait plus de bruits de pelle. Le silence a régné un moment et le souffle de Mr Crepsley a porté à travers le cimetière.

— Darren, où es-tu ? Darren ?

De frayeur, le visage de Steve s'est décomposé. J'entendais

battre son cœur. Des gouttes de sueur coulaient sur ses joues. Il ne savait pas quoi faire. Son plan s'arrêtait là.

— Je vais bien, ai-je crié, ce qui a fait sursauter ce dernier.

— Où es-tu ?

— Ici. (Je me suis levé, sans me soucier du pieu de Steve.) J'avais les jambes en coton, je me suis allongé une minute.

— Tu es sûr que ça va ?

— Oui, oui. Je vais me reposer encore un peu avant de reprendre mes exercices. Appelez-moi quand vous aurez fini.

Je me suis accroupi pour être à nouveau face à Steve. Il n'essayait plus de jouer les gros durs. Son pieu pointait vers le sol à présent et il tremblait de tout son corps. Il me faisait pitié.

— Pourquoi es-tu venu ici ?

— Pour te tuer, a-t-il répondu.

— *Moi* ? Mais pourquoi ?

— T'es un vampire. C'est une raison suffisante, non ?

— Mais tu n'as rien contre les vampires. Je te rappelle que c'est toi qui voulais en devenir un.

— Oui, mais tu m'as piqué ma place, a-t-il lancé d'une voix rageuse. Tu avais tout prévu, avoue ! Tu lui as raconté que j'étais diabolique pour qu'il me rejette et que tu…

— Tu dis n'importe quoi ! ai-je soupiré. Je n'ai jamais voulu devenir un vampire. Si j'ai accepté de devenir son assistant, c'est uniquement pour te sauver la vie. Sinon, tu serais mort à l'heure qu'il est.

— Tu n'as rien trouvé de mieux comme histoire ? Et moi qui croyais que tu étais mon ami !

— Je suis ton ami ! me suis-je écrié. Steve, tu ne

comprends pas. Je ne ferais jamais rien contre toi. Je n'avais pas du tout envie que les choses se passent de cette façon, mais je n'ai pas eu le…

— Épargne-moi les violons ! Je me demande depuis combien de temps tu manigançais tout ça. Tu as dû aller lui parler après le spectacle, cette nuit-là. C'est comme ça que tu as eu Madame Octa, pas vrai ? Il te l'a donné, en échange de tes services d'assistant.

— Non, Steve, ce n'est pas du tout ça. Crois-moi.

Malheureusement, c'était peine perdue. Je le voyais dans ses yeux. Rien de ce que je pourrais dire ne le ferait changer d'avis. Dans son esprit, je l'avais trahi. J'avais pris sa place et il ne me le pardonnerait jamais.

— J'y vais. (Il est parti en rampant.) Je pensais pouvoir te tuer ce soir, mais je me suis trompé. Je ne suis pas assez vieux, ni suffisamment fort et courageux.

— Mais écoute-moi bien, Darren Shan, a-t-il repris. Je vais grandir, m'endurcir et consacrer ma vie entière à me préparer mentalement et physiquement pour le jour où…

— … je te retrouverai et te tuerai, a-t-il juré. Je deviendrai le plus grand chasseur de vampires au monde : peu importe où tu te caches, tu ne m'échapperas pas. Dans un trou, dans une grotte, dans une cave, je te trouverai.

— Je vous traquerai jusqu'au bout du monde s'il le faut, toi et ton mentor. (Il avait le visage rougi par la fureur.) Et alors, je vous enfoncerai une pointe en fer dans le cœur, je vous couperai la tête et la farcirai d'ail. Ensuite, je vous ferai brûler et je jetterai vos cendres dans un ruisseau. Je veillerai à tout pour que tu ne reviennes jamais d'entre les morts.

Sa promesse terminée, il a sorti un couteau et s'est

entaillé la paume gauche en forme de croix. Il a levé la main pour que je puisse voir le sang couler.

— Je le jure sur ce sang ! a-t-il proclamé juste avant de faire demi-tour et de partir en courant.

En quelques secondes à peine, il a disparu parmi les ombres de la nuit.

J'aurais pu lui courir après. Je n'avais qu'à suivre les traces de sang. Avec Mr Crepsley, nous aurions pu le poursuivre et mettre un terme à ses menaces une bonne fois pour toutes. Ç'aurait été une sage décision.

Seulement, j'en étais incapable. Il s'agissait de mon meilleur ami après tout...

33.

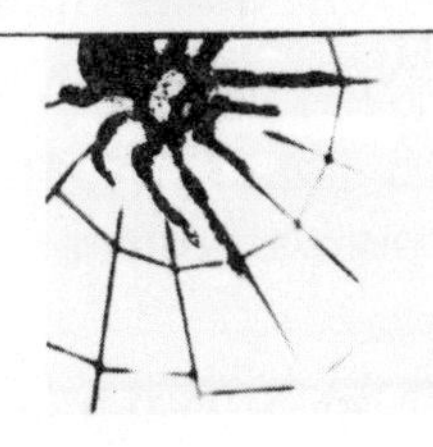

Mr Crepsley était en train d'aplanir la terre sur ma tombe lorsque je suis revenu. Je l'ai regardé travailler. Sa pelle était large et lourde, mais il la maniait comme si elle avait été fabriquée en papier. Je me demandais jusqu'où allait sa force et quelle serait un jour la mienne.

J'ai envisagé de lui raconter ce qui s'était passé avec Steve, mais j'avais peur qu'il parte à sa recherche. Steve en avait suffisamment bavé dans la vie. En plus, c'était des paroles en l'air qu'il avait prononcées pour me menacer. À la première occasion de distraction, deux ou trois semaines plus tard, il nous oublierait, Mr Crepsley et moi.

Je l'espérais, en tout cas.

Mr Crepsley a levé la tête et froncé les sourcils.

— Es-tu bien certain que ça va ? Tu sembles tendu.

— Vous seriez dans le même état si vous aviez passé la nuit dans un cercueil.

Il a éclaté de rire.

— Monsieur Shan, j'ai passé plus de temps dans un cercueil qu'une grande partie de défunts.

Il a donné un dernier grand coup de pelle et cassé celle-ci en plusieurs morceaux qu'il a jetés un peu partout.

— Ça va, tes courbatures ?

— C'est mieux, ai-je répondu en faisant des mouvements

de bras et de hanche. Enfin, je ne voudrais pas devoir simuler ma mort trop souvent quand même.

— Non, bien sûr. Normalement, ça ne devrait plus arriver. C'était nécessaire mais dangereux. Il y a beaucoup de choses qui auraient pu mal tourner.

Je l'ai fusillé du regard.

— Vous m'avez dit que je craignais rien.

— J'ai menti. La potion conduit parfois les gens trop près de l'au-delà et ils ne reviennent jamais. Je ne pouvais pas non plus être certain qu'ils ne feraient pas d'autopsie. Et puis… Tu as vraiment envie d'entendre tout ça ?

— Non, ai-je répliqué sur un ton craintif. Absolument pas.

Je lui ai décoché un méchant coup de poing. Il a esquivé sans difficulté et rigolé.

— Vous m'avez menti !!!

— Il le fallait. Je n'avais pas le choix.

— Et si j'étais mort ?

Il a haussé les épaules.

— J'aurais perdu un assistant. Pas une grosse perte. J'en aurais trouvé un autre, sans aucun doute.

— Vous… vous… Oh !

Furieux, j'ai donné un coup de pied par terre. J'aurais pu le traiter de tous les noms, mais je n'aimais pas dire des gros mots en présence des morts. Je lui dirais plus tard ce que je pensais de sa trahison.

— On peut y aller ? Tu es prêt ? m'a-t-il interrogé.

— Donnez-moi une minute.

J'ai bondi sur l'une des plus hautes pierres tombales et embrassé la ville du regard. De mon perchoir, je ne voyais pas grand-chose, mais je voulais contempler une dernière fois l'endroit où j'étais né et où j'avais grandi. Prenant mon temps, j'ai considéré chaque ruelle sombre comme si c'était une impasse chic, chaque maison décrépie comme un palace et chaque immeuble à deux étage comme un gratte-ciel.

— Tu t'habitueras aux au revoir, a commenté Mr Crepsley, en équilibre, derrière moi, sur une pierre. (On aurait dit qu'il lévitait. Il avait l'air morose.) C'est le lot des vampires : on ne reste jamais longtemps au même endroit. Toujours à préparer notre baluchon pour partir vers un nouvel horizon.

— Est-ce que la première fois est la plus dure ?

— Oui. Mais ça ne devient pas facile pour autant.

— Ça va prendre longtemps avant que je m'habitue ?

— Quelques décennies. Peut-être plus.

Des décennies ! À l'entendre, il s'agissait de mois.

— Alors on ne peut jamais se faire d'amis ? Ni avoir une maison, une femme, une famille ?

— Non, a-t-il soupiré. En aucun cas.

— Et la solitude ?

— Elle est terrible.

J'ai hoché la tête avec tristesse. Au moins, il était honnête. Comme je l'ai déjà dit, je préfère qu'on me dise la vérité même si elle est dure à entendre. J'aime bien savoir à quoi m'en tenir.

— C'est bon. (J'ai sauté par terre.) Je suis prêt.

J'ai ramassé mon sac et l'ai épousseté.

— Tu peux monter sur mon dos, si tu veux, a proposé Mr Crepsley.

— Non merci. Plus tard, peut-être. Pour l'instant, je voudrais me dégourdir encore les jambes.

— Comme tu voudras.

J'ai frotté mon ventre qui gargouillait.

— Je n'ai rien mangé depuis dimanche soir. J'ai faim.

— Moi aussi. (Il a pris ma main et m'a adressé un sourire assoiffé de sang.) Allons manger quelque chose.

J'ai inspiré profondément, m'efforçant de ne pas penser à ce qu'il y aurait au menu. D'un hochement de tête, j'ai acquiescé et serré sa main. Ensemble, nous avons tourné le dos aux tombes. Puis, côte à côte, vampire et assistant, nous nous sommes enfoncés dans la nuit.

À SUIVRE...

Composition MCP - *Groupe JOUVE* - 45770 Saran
N° 379061T

« Pour l'éditeur, le principe est d'utiliser des papiers composés de fibres naturelles, renouvelables, recyclables et fabriquées à partir de bois issus de forêts qui adoptent un système d'aménagement durable. En outre, l'éditeur attend de ses fournisseurs de papier qu'ils s'inscrivent dans une démarche de certification environnementale reconnue. »

Imprimé en Espagne par Rodesa
Dépôt légal : Août 2009
20.16.1813.3/01 - ISBN 978-2-01-20183-6

Loi n° 49-956 du 16 juillet 1949
sur les publications destinées à la jeunesse.